KB114039

연기의 신 1

서산화 장편소설

초판 1쇄 찍은 날 § 2016년 2월 18일
초판 1쇄 펴낸 날 § 2016년 2월 25일

지은이 § 서산화
펴낸이 § 서경석

편집책임 § 조현우
편집 § 박가연

펴낸곳 § 도서출판 청어람
등록번호 § 제387-1999-000006호
등록일자 § 1999. 5. 31
어람번호 § 제1-2359호

주소 § 경기도 부천시 원미구 부일로 483번길 40 서경B/D 3F (우) 14640
전화 § 032-656-4452 팩스 § 032-656-4453
http://www.chungeoram.com
E-mail § chungeorambook@daum.net

연기의 신

FUSION.FANTASTIC STORY

서산화 장편소설

1

GOD OF ACTING

PRODUCTION

DIRECTOR

CAMERA

DATE   SCENE   TAKE

FUSION·FANTASTIC STORY

GOD OF ACTING
PRODUCTION
DIRECTOR
CAMERA
DATE   SCENE   TAKE

목차

1장

소리 없는 연극

나는 무성극(無聲劇)을 하고 있다.

소리를 내지 않고 연기를 하는 배우다.

내가 이런 무성극을 하게 된 데에는 나름대로 웃지 못할 사연이 있었다.

한때 나는 섭외가 줄을 서서 대기표를 끊어야 할 만큼 괜찮던 배우였다. 비록 조단역(조연과 단역)이지만 쥐구멍에 볕들 날이 머지않아 보였다.

단편영화의 주연 제의도 곧잘 들어왔다. 연기 인생 십오 년만에 충무로에서 연기력을 인정받는 배우로 부상했던 것이다.

갑자기 일어난 교통사고가 아니었다면 어떻게 됐을까?

사고는 모든 것을 앗아갔다.

머리를 다쳐서 소리를 낼 수 없는 배우가 됐다.

그날 이후 나는 반쪽짜리가 되었다.

현대인들이 무성극을 보는 경우는 드물다. 텅 빈 객석을 보는 일도, 단 몇 사람을 관객으로 공연하는 일도 빈번했다. 수입도 그만큼 줄었다. 하지만 여전히 연기를 할 수 있다는 사실만으로도 행복했다.

물론, 공연이 없는 날이면 우울증과 무기력증이 한배를 타고 찾아오지만.

*　　　　*　　　　*

마임은 오로지 동작으로 모든 것을 표현하는 예술이다. 마임을 이용하면 무대장치의 도움 없이도 다양한 표현이 가능하다. 바람이 부는 것, 벽을 짚고 넘는 것, 걸음걸이만으로 심리를 표현하는 것까지 모두.

무성극을 하기 전까지 마임에 대해 중요하게 생각해 본 적은 없었다. 서커스단을 보면서 신기하다고 생각했던 것이 마임에 대한 유일한 기억이었다. 하지만 지금은 마임 하나로 연기를 한다.

내 동료 임명인은 실어증으로 말을 잃었다. 그는 작은 체구와 반지의 제왕의 프로도를 닮은 외모를 갖고 있었다.

공연 준비가 한창일 때 그가 수화로 말했다.

[이번에 들어가는 유태일 감독님 차기작, 서커스단이 배경이래.]

[그래서?]

[마임 연기를 하는 주조연급 배우를 구한대.]

[오디션?]

[아니. 직접 구한다고.]

실망감이 들었다.

유태일 감독은 마임공연에 와서 직접 알아볼 만큼 한가한 사람이 아니었다. 게다가 마임을 특기로 구사하는 연기자들도 많은데 굳이 벙어리를 섭외할 리도 없잖은가?

[굿 뉴스네. 우린 배우는커녕 트레이너도 못 들어가겠지만.]

많은 무명 배우가 시간강사나 트레이너를 하는 반면, 우리는 가르치는 일을 할 수 없다.

말을 못하면 전달능력도 현저히 떨어지는 법.

모든 학생이 수화를 하지 않는 이상 우리가 트레이닝을 한다는 건 불가능한 일이었다.

빤히 다 알면서도 임명인의 흥분은 수그러들지 않았다.

[유태일 감독님이 지금 공연장에 오셨다고!]

[뭐?]

고개만 돌리고 대답하던 나는 몸을 돌렸다.

유태일 감독이 마임공연장에 직접 왔다는 건 서커스를 다룬 작품의 완성도를 높이기 위한 조사 차원일 수 있었다. 하지만 언제나 기회에 배고픈 배우들에게는 마임 연기자를 발굴할지도 모른다는 의미기도 했다.

[얼마 전에 방송국에서 널 취재했었지? 그게 방송됐어. 유태일 감독 님도 보셨을 테고. 널 보러 오셨다는 뜻이지.]

임명인은 상상의 나래를 펼쳤다.

그의 말이 맞을 수도, 틀릴 수도 있다.

얼마 전 〈사고 후 잊힌 마임배우 이도원〉이라는 소제목으로 다큐멘터리가 방송되고 극단 후원금이 반짝 늘어났던 것은 사실이었으니까.

말 그대로 반짝이고 지금은 다시 잊혔지만 방송 후 한동안 많은 격려 글이 방송국 게시판을 뜨겁게 달구긴 했었다.

[열심히 해봐. 기회야!]

그의 응원을 들으며 나는 고개를 끄덕였다.

오늘의 마임공연은 〈대도 홍길동〉이라는 작품이다.

나는 '홍길동'을 맡았으며 장장 두 시간 동안 길동이의 탈출 과정을 보여준다.

이 작품을 위해 많은 서적과 영화들을 보고 연구했다.

평소 걷는 습관부터 작은 손버릇까지 극 중 홍길동처럼 바꾸었다.

막이 열리고, 무대에 선 나는 다섯 명의 관객에게 인사를 올렸다.

어두운 객석이 보이는 순간이면 무대가 아닌 구름 위에 서 있는 기분이 들었다.

긴장과 흥분이 내 전신을 강타했다.

다섯 명의 박수 소리가 들려왔고 무대 뒤에선 음향이 흘러나왔다.

나는 벽이 있다고 상상하고 빈틈없이 훈련된 절제된 동작으로 벽을 짚었다.

고개를 들어 저 위까지 뻗은 높은 담장을 올려다보았다.

시선으로 관객에게 높이를 알려준 나는 고민하는 표정으로 벽을 두드리며 월담이 쉽지 않다는 표현을 했다. 이제 무대에는 가상의 높다란 담장이 생겨났다. 이 담장을 넘기 위해 나는 준비한 사다리를 위태롭게 걸치고 오르기 시작했다. 중간에 바람이 불어 사다리와 몸이 통째로 흔들렸다.

나는 제자리에서 연기를 하고 있었지만 관객들의 뇌리에는 월담의 과정들이 선명하게 그려지고 있을 터였다.

"아!"

큰 돌풍이 불자 객석에서는 외마디 비명이 터져 나왔다.

위태롭게 사다리를 오른 나는 담장 위에서 주위를 살폈다.

눈썹 위에 손을 붙이고 고개를 좌우로 돌리며 객석들을 살폈다. 그런 뒤 온몸으로 크게 한숨을 쉬고 담장에서 뛰어내렸다.

"어이쿠!"

객석에서 추임새가 들려왔다.

나는 철퍼덕 넘어지며 화들짝 놀란 얼굴로 들키진 않았는지 확인했다. 그 후 대감 댁의 여러 장애물을 뚫고 창고에 진입했다. 그 뒤 보자기를 풀어 보물들을 담는 시늉을 했다. 크고 무거운 보물은 버리고 작고 값이 나가 보이는 것만 담는 것을 관객이 볼 수 있도록 세밀하게 표현했다.

대감 댁을 훌훌 털어먹은 나는 조마조마한 표정으로 빠져나갔다. 의기양양하게 은신처로 향하려던 찰나, 저 멀리 관군들의 목소리가 들려왔다.

홍길동을 찾는 목소리다! 나는 주변에 가득한 횃불들을 발견하고 아슬아슬하게 달아났다.

극이 가파르게 진행되는 동안 나는 상상을 몸짓으로 표현했다. 으리으리한 기와집들과 담장 사이로 나 있는 골목들, 밤바람이 거세게 부는 숲과 날 쫓는 관군들.

내 모든 동작은 아주 정교하게 절제되어 있었다.

두 시간 동안 이어진 공연으로 몸은 흠뻑 땀으로 절었다. 정신은 뿌리째 길동에게 몰입되어 있고 심장은 막 잡은 물고기처럼 펄떡펄떡 뛰었다.

공연을 마쳤을 땐 다섯 명의 관객 중 네 명이 남아 있었다. 그제야 한 명이 나갔다는 걸 알았다.

내가 감사 인사를 올리자 객석에서 홀로 일어난 사람이 기립 박수를 보냈다.

　바로 유태일 감독이었다.

　　　　　　＊　　　　　＊　　　　　＊

　"완벽하군."

　무대 뒤편.

　〈대도 홍길동〉을 모두 감상한 유태일 감독의 감상평이었
다.

　완벽하다란 말 한마디에 머릿속이 백지장처럼 새하얗게 돌변
했다.

　유태일 감독은 한쪽 입꼬리를 올렸다. 그의 작품에 들어가
는 배우들이 보길 학수고대한다는, 아주 만족스럽다는 의미가
내포된 웃음이었다.

　[과찬이십니다.]

　무대미술 담당인 이상백이 내 수화를 전달했다. 그는 우리가
공연하는 극장을 소유한 건물주인 동시에 무성극단의 가장 큰
후원자이기도 했다.

　내 말을 전해 들은 유태일 감독이 고개를 끄덕이며 답했다.

　"내가 작품을 들어갈 때 가장 중요하게 추구하는 부분이 바
로 리얼리즘이야. 다시 말해 이번에 들어가는 〈서커스〉의 주인
공은 말을 못하는 언어 장애우이기 때문에 그 심리를 담아내

기 위해선 자네가 필요하다는 뜻이네. 백억 가까운 예산이 들어간 〈서커스〉의 시나리오를 자네에게 오픈한 거니까 거절하지 않았으면 좋겠어."

머리에 총을 맞지 않은 이상 거절할 일은 없었다.

나는 손을 덜덜 떨며 수화를 보냈다.

[감사합니다, 감사합니다.]

이상백은 내 어깨를 두드리며 잘 되었다는 의미의 푸근한 미소를 지었다. 그는 내 수화 내용과 함께 사견을 덧붙였다.

"너무나 감사하다는군요. 평소 너무 안타까웠습니다. 이 친구의 연기를 대학로에서도 가장 외진 극장에서만 볼 수 있다는 사실이요. 쓰임 있는 친구이니 감독님께서 잘 보듬어주시리라 생각합니다."

"여부가 있겠습니까?"

유태일 감독이 웃으며 내게 말했다.

"자네는 극 중 대사가 전혀 나오지 않지만 가장 많은 분량을 연기하게 될 걸세. 내레이션을 하는 배우는 따로 쓸 생각이네. 많이 알려지지 않은 라디오드라마 출신 성우인데 웬만한 탑 레벨의 연기자들보다 뛰어난 대사 구사능력을 가진 친구지. 비록 대사는 없지만 다른 배우들과 인사도 나눠야 하니 대본 리딩에는 참여해 줬으면 좋겠군. 리딩은 이번 주 금요일 동대입구 역 인근 유태일 기획에서 진행할 예정이네."

유태일 기획은 유태일 감독의 자회사였다. 자신이 직접 기획과 연출을 하기 때문에 회사를 설립한 것이다. 그는 작품성과 상업성을 동시에 가진 작품을 매년 배출해 내는 훌륭한 감독이었다.

그만큼 빠르고 완벽하게 작업했다. 굳이 시나리오를 들춰 보지 않고도 탑 배우들이 줄을 서는, 관객들도 믿고 보는 감독이었다.

나는 유태일 감독에게 어떤 감사 표현도 하지 못했다.

내 연기 경력으로도 때로는 표현할 수 없는 감정들이 있고, 이번에도 그랬다.

감격에 젖어 저절로 볼을 타고 눈물이 흘렀다.

[감사합니다.]

그저 지난날의 설움을 담아 고개 숙일 뿐이었다.

*　　　　　*　　　　　*

극단 수입만으로 생계유지는 힘들었다. 그러나 벙어리인 내가 할 수 있는 일은 제한적이었다.

현재는 공연이 없는 날마다 미술관들을 전전하며 미술품을 전시하거나 철수하고 일당을 받는 일을 하고 있었다.

대본 리딩이 있는 금요일을 하루 앞둔 목요일.

나는 여지없이 일당을 뛰러 나갔다.

장소는 국립 현대 미술관이었다. 최고의 작품들이 들어가는 명실상부 대한민국 최대의 미술관. 이번 일감은 전시가 아닌 전시품 철수였다.

〈시간과 운명의 신〉이라는 타이틀의 미술전이었는데 국보급 그림과 조각으로 가득했다.

고대 그리스 종교의 크로노스, 노르웨이의 베르단디, 아프리카의 이그보, 힌두교의 가랍, 불교의 대흑천 등 모두 시간과 운명을 관장하는 신들을 다룬 전시회라서 수십 미터에 이르는 조각들이 대수롭지 않게 전시되어 있었다.

관람객들에게는 기쁜 소식이었지만 내게는 나쁜 소식이었다. 무거운 작품들을 모두 빼내려면 철수작업이 아닌 철거작업이 될 터였다.

안타까운 현실이지만 그래도 다음날 있을 대본 리딩을 떠올리면 입가에 웃음이 떠나지 않았다.

차근차근 미술품들이 옮겨지고, 마지막 한 점만 남았을 때 나는 천장을 올려다봤다.

십 미터가 넘는 높이에 걸려있는 으리으리한 아난케 조각품이 압도적인 분위기를 자아내고 있었다.

아난케는 그리스 신화의 여신으로 운명, 불변의 필연성, 숙명을 뜻한다. 조각품으로서의 아난케는 세상을 포용할 듯 아름답고 인자해 보였다.

나는 입시 연기나 연극을 하면서 고대 그리스 작품들을 많이 다뤄왔기에 감회가 새로웠다.

내가 미묘한 기분에 사로잡혀 천장에 매달린 아난케 조각상을 올려다보고 있을 때였다.

철수작전을 책임진 서진 아트센터 반장이 중장비를 몰고 왔다. 사람이나 미술품을 실을 수 있는 철판과 차량 사이에 스프링처럼 쇠가 접혀 있어 작동을 하면 높은 곳까지 올려주는 중장비였다.

반장이 나를 지목하며 말했다.

"도원아. 이번에는 네가 올라가자."

나는 눈살을 찌푸렸다. 일당 받고 일하는 처지에 위험한 일을 하고 싶지 않다는 표시였다.

오랜 기간 일감이 생길 때마다 손발을 맞춰와서 표정만으로도 내 의사를 알아챈 반장이 나를 설득했다.

"너도 알다시피 우리가 인력 부족에 시달리잖아. 오늘 온 애들 중에 직원 없고, 전부 일용직이다. 그래도 넌 나랑 손발을 많이 맞춰봤잖아. 얼른 올라가서 후딱 끝내자."

보통 직원을 한둘 달고 오거나 이런 대대적인 철수 땐 네다섯 명은 투입되는데 이번에는 유난히 인력난이었다. 하지만 어차피 철수를 끝내야 일이 끝난다.

더군다나 반장 말처럼 처음 일하는 사람들보다야 우리 둘이 일처리를 맡는 게 신속했다. 괜히 잘못하다 조각이 손상되기라도 하면 업체 측에서 수억 원을 배상해야 할 터.

나는 마지못해 고개를 끄덕였다.

반장은 환한 웃음을 드러내며 중장비에 올라탔다. 나 역시 중장비에 올랐다. 이제 영화 〈서커스〉 촬영에 들어가면 이쪽 일은 못 한다. 마지막이라는 생각을 하자 기분이 시원섭섭했다.

"조각품 잘못 떨어뜨리면 죽어. 정신 바짝 차려라."

반장이 주의를 줬고 나는 고개를 끄덕였다.

천장에 연결된 줄을 하나씩 떼어내며 조각품을 실었다. 세 번 정도 바닥과 천장을 오가야겠지만 어느 정도 요령만 있고 조심하면 어렵지 않은 일이었다. 바닥에선 일용직 아르바이트 생들이 우리가 내려주는 조각을 받았다.

일은 순조롭게 진행됐고, 팔다리를 떼어낸 뒤 가장 큰 몸통을 내리는 일만 남았다. 아래를 보면 정신이 아찔해지는 십 미터 높이.

그때. 운명의 여신 아난케의 몸통을 함께 지탱하던 반장이 손을 놓아버렸다.

와이어를 풀던 나는 화들짝 놀랐지만 이미 늦었다. 무시무시한 무게의 조각품이 십 미터 아래 바닥으로 낙하했다. 순간 와이어 줄이 내 손목에 감겼고, 나는 조각품에 딸려 바닥으로 추락하고 말았다.

쿠웅!

통증은 느껴지지 않았다. 시야가 급격하게 어두워졌다.

반장은 내가 줄을 푸는 장면을 유심히 관찰하고 있었다. 그의 실수는 의도적이었다.

'하지만 왜……'

그때 아르바이트생들의 놀란 얼굴들 사이로 숨어 있는 한 남자가 보였다. 모자를 깊게 눌러쓴 남자는 내가 잘 알고 있는 사람이었다.

한창 충무로에서 활동하던 시절 떠오르는 신인 배우로 급부상했던 내 대학 동기 김진우. 대학 땐 경쟁자라서 사이가 좋지 않았다.

정상에 선 뒤로 연락이 끊겼지만 그 역시 유태일 감독의 손에 의해 탄생한 톱스타라는 것 정도는 들었다.

'설마.'

내가 유태일 감독의 〈서커스〉 주연을 맡게 돼서? 내가 사라진다면 작품의 주연은 김진우가 거머쥘 것이다. 김진우가 반장을 포섭해서 내 죽음을 사고사로 위장하려 한다는 사실을 깨달은 순간, 죽음의 그림자가 날 덮쳤다.

＊　　　＊　　　＊

"여긴 어디지?"

목소리가 나왔다.

사후세계가 아닌 이상 불가능한 일이었다.

의외로 빠르게 단념이 됐다. 눈앞에는 미술관에서 보았던 운명과 시간의 신들이 객석을 가득 메우고 있었다.

'잃었던 소리를 되찾았고, 객석도 가득 차 있다. 삶보다 행복한 죽음이라니.'

관객 앞에서 마음을 내보이진 않았다.

그저 객석을 가득 메운 관객들을 만족시킬 무대를 선보이고 싶었다.

신들이 만족할 만한 공연은 어떤 공연일까?

신들은 언제나 인간과 가까운 곳에 있었다. 신이 인간의 믿음이 만들어낸 절대적 존재인지 실존하는지는 알 수 없지만, 신들은 언제나 인간 세상에 존재감을 나타냈다.

'신들이 가장 흥미로워할 인간을 표현한다.'

나는 호흡을 가다듬었다.

희로애락의 감정선을 실 뭉치처럼 한데 엮어서 풀어낼 수 있을까?

나는 기쁜 듯, 분노한 듯, 슬픈 듯, 즐거운 듯, 보는 시각에 따라 다른 표정을 지으려다가 그만 눈물을 흘렸다. 억울한 죽음과 소리를 되찾았다는 상반된 감정이 몸속을 꽉 채웠다.

나는 이 모든 감정을 한 호흡에 담아 말했다.

"행복한 죽음이군요."

내 소리가 객석 전체를 가득 메웠다. 나직하지만 끝까지 뻗어나가는 소리.

얼마나 그리웠던가?

"나는 지금 마음껏 연기를 할 수 있다는 것만으로 행복합니다."

신들이 웃는 듯했다. 그리고 난 눈을 감은 채 정신을 잃었다.

2장

20년 전으로

2015년.

올해로 열일곱 살이 된 이도원은 비밀 하나를 간직하고 있었다. 얼마 전까지 서른일곱 살이었던 그는 죽음과 함께 이십 년 전의 과거로 돌아온 것이다.

'아무리 생각해도 불가사의한 일이야.'

내심 지난 일을 떠올린 이도원은 믹서기를 돌렸다. 그는 과거로 타임 슬립한 뒤 날마다 아침밥 대신 야채 주스를 먹고 있었다.

타임 슬립 전 그는 물만 먹어도 살이 찌는 체질이었다. 그 덕분에 소리를 잃기 전까지 비만에 시달렸다. 이런 점이 조단역

이상의 배역을 따내지 못하게 하는 제약이 됐다.

몸을 적극적으로 움직여야만 하는 무성극의 마임 연기를 시작하고서야 강도 높은 관리를 꾸준히 했다. 그걸 계기로 자신의 훤칠한 외모를 재발견할 수 있었다.

"건강한 젊음이 있을 때 잘하란 말이다."

스스로에게 일침을 가한 이도원은 눈을 딱 감고 더럽게 맛없는 야채 주스를 원 샷 했다.

"캬하!"

감탄사를 뱉으며 식탁에 컵을 탁 내려놓았다. 이도원은 다음으로 스트레칭과 체력 단련을 실시했다.

먼저 스트레칭.

자연스러운 움직임과 동선을 가지려면 꾸준히 몸을 이완시키며 유연성을 늘려줘야 한다. 특히 다리 찢기는 비명이 절로 나오는 고통을 선사했다. 매번 후유증으로 어기적거려야 했다.

또 하나는 바로 체력 단련.

배우는 연기에 몰입할수록 더 큰 체력 소모를 하게 된다. 한계치까지 능력을 끌어 올리면 공연을 마치고 무대를 내려올 때마다 다리가 풀린다. 따라서 배우에게 체력 단련은 하루도 빠짐없이 해야 할 기본 중의 기본이다.

"헉, 헉……."

각각 두 시간씩, 총 네 시간.

이도원은 숨이 꼴딱 넘어가도 이상하지 않을 정도로 스스로를 다그쳤다.

땀이 비 오듯 흐르고, 전신이 젖은 솜처럼 무거웠다.

이도원은 대자로 드러누운 와중에도 눈을 감고 자신의 호흡을 기억하려 애썼다.

체력과 이완이 배우의 기본이라면, 호흡은 연기의 전부였다.

그 상태로 한참을 누워 있던 이도원이 상체를 벌떡 일으켰다. 때마침 방문을 열어젖힌 어머니가 땀범벅의 그를 보며 물은 것이다.

"대체 무슨 바람이 불어서 매일 새벽같이 일어나서 운동을 하니? 오늘은 몇 시에 일어났대?"

"네 시요!"

이도원이 활기차게 답하며 속옷을 홀러덩 벗어 던지고 욕실로 기어 들어갔다.

두 달째 달라진 아들의 모습에 아직도 적응이 안 된 어머니는 혀를 내둘렀다.

"운동선수해도 대성하겠네, 아주."

한편 교복을 입고 식탁에 앉아 있던 소녀가 수저를 내려놓으며 소리쳤다.

"아 쫌! 변태야? 밥 먹는데 더럽게 왜 벗고 지랄이야?"

이도원은 욕실 안에서 콧노래를 흥얼거리며 안 그래도 열 받은 소녀를 약 올렸다.

"저게 미쳤나!"

약이 바짝 오른 소녀가 소매를 걷어 올리고 욕실로 쳐들어가려 했다.

그때 어머니가 목청을 높였다.

"이다원! 밥상머리에서! 그리고 말 예쁘게 안 해?"

"엄마, 쟤 좀 쫓아내, 으으!"

소녀는 이도원의 하나뿐인 누나 이다원이었다.

아무리 누나라도 이미 한 번의 삶을 거친 이도원이었다. 귀여운 마음에 놀려주려는 속셈이지만 한참 사춘기인 이다원에게는 진지한 문제였다.

그녀는 이를 갈며 아침 식사를 중단하고 일어났다.

"나 학교 가요!"

이다원이 현관을 나서는 소리를 확인한 이도원은 낄낄대며 유유자적 욕실에서 걸어 나와 교복을 입었다.

"딸은 반장도 하고 전교 일 등도 하는데, 아들은 뭐 하려고?"

어머니가 식탁에 앉아 팔을 괴고 물었다.

이도원이 씨익 웃으며 대답했다.

"연기요."

"요즘 애들 장래희망 일 순위가 연예인이라더라. 예쁘고 잘생긴 애들이 좀 많니? 지천으로 깔린 애들 중에도 연예인이 되는 애들은 만 분의 일도 안 돼."

"연예인은 아니고 배우요."

"그게 그거지!"

"전 연극이든 뮤지컬이든 영화든 상관없어요."

"너도 어른이 돼서 수입이 끊겨보면 상관있어질걸?"

이도원은 의미심장한 미소를 지을 뿐이었다.

이미 살아본 바로는 한 번 연기 맛을 들인 이상 배가 고파도 주린 배를 움켜쥐고 하게 되더라. 되살아나기 전 무려 17년을 배곯아가며 연기를 했는데 이번에도 그럴 생각은 추호도 없었다.

"걱정 마세요. 대부분이 그렇게 말하겠지만 후회 안 할 자신 있어요. 배 안 고플 자신도 있고요."

"아들. 이 엄마는 네가 잘난 얼굴만 믿고 인생을 건 모험을 하지 않길 바랄 뿐이야."

이도원은 어깨를 으쓱였다.

배우에게는 속일 수 없는 세 가지 요소가 있다.

내외적인 재능, 일만 시간의 노력, 연기자로 살아온 세월.

이런 점들을 살펴볼 때 이도원은 출발점부터 남들보다 한참 앞서 있는 셈이었다.

"조금만 지켜보세요."

이도원이 할 수 있는 최선의 대답이었다.

그는 이어서 교복을 입고 등굣길에 나섰다.

옛날에는 이 시간이 끔찍하고 축축 처졌는데 새 삶에서는 몸이 그렇게 가벼울 수 없었다. 젊어진 효과도 있겠지만 아침 운동과 달라진 마음가짐이 가장 큰 이유일 것이다.

남들은 잠이 덜 깬 눈을 비비며 짜증에 가득 차 있을 시간이었지만, 아침을 앞당긴 이도원에게는 한참 활동할 시간이었다.

"이도원!"

교문이 가까워질 때쯤 그를 부르는 목소리가 들렸다.

이도원은 고개를 돌려 자신을 부른 여학생을 보았다.

박서진.

화장과 보톡스로 점철됐던 삼십 대의 얼굴 대신, 제법 풋풋하고 귀여운 얼굴을 한 소녀가 달려오고 있었다.

박서진은 코앞에 와서 숨을 헐떡이며 물었다.

"왜 혼자 가? 이런 몰골로 너희 어머님 뵙기 싫은데, 항상 어머님이 나오셔서 너 먼저 갔다고 하시는 바람에 매일 뵙잖아!"

"너랑 같이 학교 가기 싫어서."

이도원이 짓궂게 놀렸다.

박서진과의 스캔들로 고등학교 삼 년을 암울하게 보냈던 기억이 떠오른 것이다. 그러나 박서진은 매정한 장난을 특유의 긍정으로 소화하며 말했다.

"어디서 비싼 척이야? 그나저나 연극부, 들어갈 거지?"

박서진에게 고마운 점이 있다면 이도원이 그녀 덕분에 연기를 시작하게 됐다는 점이었다.

물론, 그건 전생에서의 이야기고 지금은 상황이 달랐다.

"아니. 직접 연극부를 만들려고."

기존 연극부에 들어가면 짬밥에 밀려서 빨라도 2학년 때나 주연을 맡을 터였다. 하지만 이도원은 금쪽같은 일 년을 예전처럼 선배들 허드렛일이나 하면서 보낼 생각이 전혀 없었다.

조건만 충족되면 학생 누구라도 교내 동아리를 만들 자격이 주어진다. 이도원은 이 점을 노렸다. 그때 박서진이 중요한 의문을 제기했다.

"이미 연극부가 있는데 만들어줄까?"

"힘들 수도 있겠지. 지금 있는 연극부에서 터치할 수도 있고."

이도원이 아무렇지도 않게 대답했다.

박서진이 눈을 휘둥그레 떴고, 이도원이 말을 이었다.

"안 되면 되게 하면 돼."

"어떻게?"

불가능을 가능으로 바꾸려면?

절대적인 실력으로 압도하면 된다. 학교를 알릴 수만 있다면 학교 측은 동아리 개설을 허락해 줄 터였다. 다만 문제는 선배 랍시고 기존 연극부 쪽에서 압력을 넣는 경우였다.

"일인극 몇 개 뛰면서 학교 허가받고, 힘 있는 선배들 잘 구슬러서 영입하면 끝."

"말씀은 참 잘하시네요."

박서진의 말에 이도원이 씨익 웃었다.

"행동도 잘해. 일사천리지."

                    *   *   *

　이도원에게 수업 시간은 고문이었다.

　혹자는 말한다. 옛날로 돌아가면 공부를 열심히 하겠다고.
그럴 수도 있겠지만 적어도 이도원은 아니었다. 그는 똑같다는
것을 몸소 보여주고 있었다.

　'특히 수리는 체질에 안 맞아.'

　수리 시간.

　이도원은 책상에 층층이 올려둔 교과서 위로 엎어졌다. 이과
과목 비중이 적은 예술 고등학교로 전학을 가야 하나 진지한
고민이 들었다.

　"이도원!"

　수리를 가르치는 담임이 귀 따갑게 불렀다. 공부에 취미가
없던 열일곱 살의 이도원은 선생님들의 주요 타깃이었다.

　"죄송합니다아~"

　이도원이 목소리를 늘어뜨리자 주변에서 키득거리는 소리가
들려왔다.

　굳이 스승의 권위를 훼손하려는 목적은 아니었다. 다만 얼마
전까지 서른일곱이었던 이도원의 입장에선 자신보다 어린 담임
의 지적이 크게 와 닿지 않았다. 더구나 성인 연기자의 활동적
인 생활에 익숙해져 버려서, 갑갑한 교실에 앉아 수업을 듣자니

뿔이 났다.

"이 자식이?"

담임은 씩씩거리면서도 사랑의 매를 휘두르지 못했다. 학교는 벌점제로 운영됐기 때문에 독단적인 체벌은 학생들의 교육부 고발을 불러오기 일쑤였다.

그 와중에도 이도원은 다른 생각을 하고 있었다.

'담임은 학생들에게 권위적인 성향이다. 평소의 소심한 성격을 감추고 싶어 하지.'

그는 담임의 미세한 손끝 떨림까지 포착할 만큼 집중하기 시작했다.

'삼십 대 초반 남자, 소심하고 권위적인 담임이 학생을 폭력으로 다룰 수 없을 때 할 수 있는 선택은?'

점점 담임의 감정에 몰입이 됐다.

'호흡이 가빠졌다가 점차 느려진다. 자제하고 있다는 뜻. 담임은 자신의 권위가 그나마 훼손되지 않는 선택을 할 거야. 용서한다? 아니, 상담하겠지.'

동시에 담임이 입을 열었다.

"이도원. 학교 끝나고 교무실로 와라."

"네!"

이도원은 대답하면서도 관찰을 멈추지 않았다.

'창피를 당했으니 쉬는 시간 종이 어서 울리길 바랄 거야. 시간을 본다. 머릿속은 백지장이 돼서 수업 진행을 늦추겠지. 판

서를 멈추고 전전긍긍한다. 아직 수업 시간이 많이 남았으니까
불쾌감을 해소하기 위해 잔소리를 하겠지.'

담임은 손목시계를 확인하고 분필을 내려놓은 뒤 칠판 앞을
천천히 배회하다 교탁에 섰다.

"너희가 이렇게 실망시킬수록 서로가 불편해진다."

잔소리가 시작됐다.

이도원은 수업에 흥미를 느끼기 시작했다.

여전히 수업 내용에는 관심이 없었지만 선생님들의 습관이
나 버릇들을 관찰했다. 말투나 행동부터 작은 심리 변화에 의
한 호흡의 변화까지 놓치지 않았다. 그리고 이 모든 특징을 오
늘 아침 교문 앞에서 받은 수첩에 적기 시작했다. 영어학원 이
름이 크게 적힌 홍보용 수첩이었지만 이도원에게는 배우 수첩
이었다.

'오늘 하루 우리 반 전원이 필기한 내용 보다 더 많이 쓴 것
같은데?'

손바닥 크기의 얇은 수첩을 7교시 만에 빼곡하게 채웠다.

학교 종이 울리고 담임이 종례를 했다. 학생들이 하교하고
청소 당번들이 청소를 시작할 때쯤 이도원은 교무실에 있었다.

"수업 시간에 그렇게 집중을 못 해서 나중에 뭘 하려고 그러
냐? 도원이 너, 장래희망이 뭐였지?"

이도원은 대답 대신 교복 마이의 안주머니에서 수첩을 꺼내

책상 위에 올려두었다.

"이게 뭐냐?"

"제 장래희망입니다."

담임은 수첩을 열어보았다. 책장을 넘기며 그의 표정이 여러 번 바뀌었다. 처음에는 호기심으로 시작해서 초반에는 분노했으며 중반부터는 놀라움이 되었다. 마침내 수첩을 덮을 땐, 감탄했다.

"난 연기의 연 자도 모르지만 네게 남다른 점이 있다는 건 알겠다. 수업 시간에 딴짓했다는 물증을 자신 있게 내놔서 화도 났지만, 그럴 만하더구나."

담임은 그렇게 말하며 이도원에게 수첩을 돌려주었다.

이도원은 고등학교 시절 담임에 대한 추억이 전무했다. 어떻게 생겼는지 정도만 대충 기억날 뿐이었다. 그런데 이제 막 추억이 생기려 하고 있었다. 담임은 소심했지만 교사로서의 열정이 없다거나 꽉 막힌 사람은 아니었다.

"내가 네 재능을 측량할 길이 없으니 연극부 선생님과 얘기를 해보는 게 어떻겠냐? 연극부에 들고 싶은 생각이 있는 거지?"

"아니요."

"그럼? 예고로 전학을 가고 싶은 거야?"

"그것도 아니에요."

이놈이 무슨 수작인가 싶어 담임은 고개를 갸웃했다.

이도원이 씨익 웃으며 말했다.

"전 새로운 연극 동아리를 만들고 싶습니다. 힘을 실어주세요."

담임은 이도원을 보며 생각에 잠겼다.

이미 연극부가 있는 상태에서 똑같은 성질의 동아리를 늘려줄 리 없었다. 더욱이 연극부는 공연 관람료나 소품 구입비 등으로 많은 특별 활동비를 요청하는 동아리였다.

"쉽지 않을 것 같다."

"걱정 마세요. 대회를 나가서 상도 타 오고 한 뒤에 건의할 생각입니다. 그때 거들어만 주세요."

이도원은 담임을 빤히 마주 봤다.

진지한 눈빛과 표정. 행동거지만 보면 마주 앉은 상대가 학생인지 학부모인지 분간이 안 갈 정도였다.

담임 역시 영화를 즐겨 보는 사람이었다. 잠깐이지만 그는 이도원이 가진 분위기가 영화 대부의 존 꼴레오네 역을 맡은 '알 파치노'와 닮았다는 느낌을 받았다. 대부에서 알 파치노는 나이를 뛰어넘어 조용하지만 타인을 압도하는 분위기를 소유하고 있었다.

'저절로 빠져드는 눈빛이야. 될성부른 나무는 떡잎부터 알아본다고… 어쩌면 내가 미래의 스타를 보고 있는 걸지도……'

이도원의 미래를 장담할 수는 없지만 그런 확신이 들었다.

"널 최대한 돕고 싶구나. 하지만 만약 오케이 사인을 받더라도 기존 연극부는 폐부될 거야. 그 아이들이 네게 해코지를 할 수도 있지."

"상관없어요. 참, 그보다 선생님이 직접 연극부를 맡아주실 생각은 없나요?"

정규직 선생님들은 방과 후 활동 동아리의 담당 교사가 되길 꺼려한다. 순식간에 잔업이 늘어나기 때문이다. 해서 동아리 활동은 대부분 외부 강사를 초빙해 운영하고 있었다.

이런 입장은 담임도 마찬가지였다.

"난 연기에 대해 아는 게 아무것도 없는데?"

"괜찮아요. 도와주신다고 하셨잖아요?"

이도원의 말이 맞았다.

담임 스스로가 도와주겠다고 했으니 거절하기도 애매했다.

이도원이 이런 제안을 던진 이유는 담임이 너무 좋아서가 아니었다. 외부 강사를 초빙하지 않으면 학교 예산을 아낄 수 있기 때문에 동아리 개설 허가를 따내기도, 기존 연극부와의 경쟁에서 이기기도 유리한 것이다.

'설마 그걸 다 계산하고 제안하는 건가?'

불쑥 그런 생각이 든 담임은 이도원이 더 이상 열일곱 살 같지 않았다.

이제 와서 발뺌할 수도 없는 노릇이기에 총대를 메고 연극부 전담 교사가 되는 길밖에 없었다.

그는 마지못해 대답했다.

"알겠다. 내가 전담 교사를 맡으마."

"네. 감사합니다. 그럼 전 이만 가봐도 될까요?"

"아, 그래."

이도원은 고개를 꾸벅 숙여 인사하고 교무실을 나갔다.

얼결에 약속을 하고 머릿속이 복잡해진 담임은 아차 싶었다.

'근데 내가 도원이를 왜 불렀지?'

수업 시간에 잠이나 자고, 지적했을 때도 불성실하게 대답하는 걸 보고 따끔하게 혼내려고 했었다. 그런데 이도원의 말에 완전히 몰입되어 원래 목적은 한마디도 못 꺼냈다. 면담 내내 휘둘린 것이다.

대화의 주제나 내용 때문이 아니었다. 이도원이 가진 흡인력 때문이었다.

"하아."

담임은 한숨을 내쉬었다.

더 큰 문제가 있었다.

'어떡한다? 안사람이 반대할 텐데.'

이도원이 천재든 범재든 그에게 중요한 것은 방과 후 활동의 전담 교사를 맡게 돼서 집에 들어가는 시간이 늦어질 거라는 사실이었다.

$*$ $*$ $*$

집으로 귀가한 이도원은 볼에 난 여드름을 정성스럽게 소독한 뒤 습윤 밴드를 붙였다.

이도원은 전생에 여드름이 나는 족족 손으로 짜는 바람에 자국이 남았던 경험이 있었다.

이번에도 같은 실수를 반복할 수는 없다.

"역시 젊음이 최고야."

이도원은 거울에 비친 자신의 얼굴을 보며 흡족했다.

새 삶을 얻은 뒤 규칙적인 생활을 했다. 살이 많이 빠져서 날렵해진 턱 선이 눈에 들어왔다.

남들은 다이어트가 최고의 성형이라고 하지만 그건 젊어질 수 없기 때문이다. 이십 년 전 모습으로 돌아온 이도원은 가장 뛰어난 미용이 젊음이란 것을 실감할 수 있었다.

그는 젊어진 첫날을 떠올렸다.

"으아아아악!"

열일곱 살의 자신을 본 서른일곱의 이도원.

그가 뱉은 첫 감상평은 비명을 지르는 것이었다. 얼굴을 잡아 뜯어보며 이차, 삼차로 확인했다. 꼬집었을 때 느껴지는 고통이 꿈이 아닌 현실임을 자각시켜 주었다.

영화에서도 타임 슬립은 자주 등장하는 단골 소재였다. 실제로 즉흥 연기 오디션 때면 '타임 슬립 직후를 표현하라'는 주제로 테스트를 보기도 했다.

"침착하자."

이도원은 죽음의 순간을 떠올렸다.

그가 있던 곳은 공교롭게도 〈시간과 운명의 신〉 전시회.

무언가 연관이 있을 것이다. 하물며 그는 정신을 잃은 다음 신들 앞에서 연기를 펼치기까지 했다.

비록 단 두 마디뿐이었지만 소리를 되찾고 첫 무대 연기를 선보이던 희열이 선명했다. 그리고 지금 현재.

"그 자리에 있던 신들께 감사해야겠군."

이도원은 일부러 소리 내서 말했다.

그는 몸을 이리저리 움직이며 신체 기능이 문제없다는 것을 먼저 확인했다. 하지만 상황은 그가 안정을 되찾을 때까지 기다려 주지 않았다.

불현듯 방문이 열렸다.

이도원도, 이도원의 표정을 본 어머니도 흠칫했다.

"뭐니? 귀신이라도 본 사람같이."

이도원의 기억 속 어머니는 돌아가셨다. 그러니 어머니의 질문이 아주 틀린 말은 아닌 셈이었다. 가슴속에서 뜨거운 덩어리가 차올랐다. 눈물을 주체할 수가 없었다. 이도원은 반사적으로 어머니가 볼 수 없는 각도로 고개를 돌리며 대답했다.

"금방 나갈게요."

"아들. 설마 우는 거 아니지?"

짧은 심호흡을 사이에 두고 이도원이 말했다.

"안 울어요."

어머니가 고개를 갸웃거리며 방을 떠나자 이도원은 시계부터 찾았다.

침대 옆, 책상 위에 세워진 알람시계는 2015년 3월 2일 월요일 오전 7시 30분을 알려주고 있었다. 그가 죽은 것이 2035년이었으니 정확히 20년의 시간이 되감긴 셈이었다.

이도원은 적잖이 혼란스러웠다. 어디서부터 받아들여야 하나 감도 잡히지 않았다. 그러나 당면한 문제는 확실했다.

돌아가신 어머니, 20년 전의 누나와 마주 앉아 아침 식사를 해야 하는 것이다.

'이상하게 보이면 안 돼.'

본능적인 방어기제처럼 생각한 이도원은 거실로 나갔다.

거실에서는 어머니와, 연년생인 열여덟 살의 누나 이다원이 밥술을 뜨고 있었다.

"교복은?"

이다원이 던진 물음에 목석처럼 서있던 이도원의 상념이 확 깨졌다.

팬티 바람으로 나간 것이다.

죽었다 살아났는데 능숙하게 학교 갈 준비를 할 수 있을 리 만무했다.

이도원은 교복을 입기 위해 다시 방으로 돌아갔다.

한편 어머니나 이다원이 보기에는 상당히 수상했다.

"엄마, 쟤 왜 저래? 얼굴은 하얗게 질려서."

"우리 딸, 하루가 멀다 하고 싸우더니 그래도 동생이라고 걱정은 되는가 보네. 모르겠다. 아까부터 이상한 게, 어디 아픈가……."

모녀의 목소리가 귓가를 간질였다.

이도원은 교복을 입고 따귀를 짝 소리 나게 후려친 뒤 거실로 나갔다. 하지만 안타깝게도 별 효과는 없었다.

그는 여전히 밥이 코로 들어가는지 입으로 들어가는지 모를 만큼 혼란스러웠다. 머릿속이 정리도 안 된 상태에서 평소처럼 행동하려니 더욱 어색했다.

애초에 열일곱 살의 어느 날이 기억날 리 없다.

"마미! 나 먼저 학교 갈게요."

이다원이 후다닥 일어나며 현관문 앞에서 외쳤다. 그녀는 얼이 빠진 동생을 보더니 고개를 절레절레 젓고는 학교로 등교했다.

한편 어머니는 기계적으로 수저를 뜨는 이도원에게 물었다.

"무슨 일 있니? 어디 아파?"

이도원은 무기력하게 고개를 끄덕였다.

'아픈 척을 해서라도 학교는 쉬어야지.'

이대로 학교 친구들을 보았다가는 누가 누군지도 모를 판이었다.

가족도 적응이 안 되는데 정상적인 학교생활을 할 수 있을 리가 없었다.

"오늘은 좀 쉬고 싶어요. 학교에는 어머니… 아니, 엄마가 잘 말씀해 주세요."

"병원 가야지?"

걱정 가득한 어조에 또 한 번 울컥했다.

울보가 된 것 같은 기분으로 이도원은 고개를 저었다.

"일단 좀 자다가 오후에 가든지 할게요."

"그래. 엄만 출근해야 하니까 무슨 일 있으면 꼭 전화하고."

"네."

이도원은 더 이상의 걱정을 끼치지 않기 위해 밥을 억지로 다 먹고 일어났다. 방으로 돌아간 그는 방문을 잠그기 무섭게 방 안을 뒤지기 시작했다.

"일기장, 일기장……."

이도원은 중얼거리며 일기장을 찾았다. 그의 기억에는 분명 중학교 때부터 일기를 썼었다.

책장과 서랍을 모두 뒤져도 보이지 않던 일기장이 침대 밑에 숨겨져 있었다.

이도원은 방안을 난장판으로 만들고 이마에 흥건한 땀을 닦으며 자기 위안을 했다.

"그래. 어쨌든 좋은 거야."

곧이어 그는 일기장 속으로 빠져들었다.

그곳에는 친구도, 공부도 멀리했던 일상이 낱낱이 적혀 있었다.

이도원은 연기를 시작하기 전까지 영화와 독서만을 즐기던 내성적이고 소극적인 학생이었다.

조금 뚱뚱한 체형과 백칠십팔 센티미터의 키를 가진 평범한 열일곱 살의 고등학생.

'이제는 평범한 삶이랑 거리가 멀겠지만.'

대략 두 시간이 지난 뒤 이도원은 일기장을 덮으며 한 가닥 미소를 지었다.

영문은 모르겠지만 이십 년 전의 과거로 돌아오면서 새로운 기회를 얻었다. 그리고 이 기회가 주어진 이유는 단 한 가지라고 생각했다.

"최고의 연기를 하는 배우가 된다."

이도원은 책장에 있는 빈 공책을 펴서 기억하는 모든 것을 담기 시작했다.

그다음 앞으로의 계획들을 나열했다.

새로운 삶을 얻게 된 이상 단 한순간도 낭비하고 싶지 않았던 것이다.

회상에 잠겼던 이도원은 컴퓨터 앞에 앉아 청소년 독백 대회를 검색했다.

가장 빠른 대회는 오늘까지 접수 마감한 뒤 일주일 후 열리는 '한국예술대학교'의 청소년 독백 연기 경연 대회였다.

　"쉽지 않겠어."

　가장 먼저 든 생각이었다.

　좋은 성적을 거두면 입시 때 가산점 혜택이 주어진다. 주최 측이 명문 대학교라서 전국의 연기 좀 한다는 중, 고등학교의 청소년들이 모두 몰려들 터였다. 그중에도 연극 연기를 모태로 하는 입시 연기를 배운 입시생들이 주축이 될 것이다.

　'입시생들이 유리할 수밖에 없는 싸움이다.'

　독백에 필요한 발성과 호흡은 하루아침에 만들어지는 것이 아니었다. 꾸준한 훈련만이 답이었다. 그런데 열일곱 살의 이도원은 이제 막 연기를 시작한 상태였다.

　"시간은 내 편이 아냐."

　현재 수준의 호흡과 발성을 일주일 만에 대회 상위권까지 끌어올리기에는 역부족이었다.

　호흡이야 연습량으로 극복한다고 하더라도, 발성은 하루 종일 연습할 수도 없었다. 자칫 성대 결절이나 다른 문제들이 생길 수 있기 때문이다.

　'결국 움직임이나 연기적인 부분으로 뛰어넘어야 한다는 건데.'

　이도원은 전생에 소리를 잃고 오랫동안 무대에서 마임 연기를 했다.

말 한마디 없이 감정과 상황을 전달해야 하기 때문에 움직임의 밀도가 높아질 수밖에 없다. 그건 소리를 빼면 이도원이 다른 학생들에 비해 압도적으로 뛰어나다는 의미기도 했다. 반면, 부족한 소리를 연기적인 부분으로 채울 수 있을지가 우승의 관건이 될 터였다. 그의 장점이 약점을 뛰어넘을 수 있을지는 뚜껑을 열어봐야 알 일인 것이다.

"못 먹어도 고!"

짧게 외친 이도원은 참가 신청을 클릭했다.

*　　　　*　　　　*

이도원이 선택한 독백 대회 작품은 〈벚꽃동산〉이었다. 러시아의 극작가 안톤 체홉이 살았던 1800년대에서 1900년대 초반 시대를 반영하는 작품이다.

다른 의미로 입시생들이 가장 많이 하는 독백 작품이기도 했다. 따라서 신선하진 않지만 그만큼 친숙했다. 이도원은 어설프게 신선할 바에는 완벽하게 친숙한 쪽을 택했다.

이도원은 매스를 든 의사처럼 펜을 들고 선택한 작품 〈벚꽃동산〉과 연기할 인물인 로빠힌을 해부했다.

로빠힌은 벚꽃동산의 농노 출신이었지만 자수성가해서 돌아온 뒤, 벚꽃동산이 경매로 넘어갈 위기에 처한 것을 알게 된다. 로빠힌은 귀족들에게 현실적인 대안을 제시하며 벚꽃동산을 지키려 하지만 외면당하자 직접 매입해 벚꽃동산의 주인이 된다. 그 과정에서 실리를 위해 신뢰와 사랑을 저버린다.

'로빠힌은 극 중 유일하게 현실적이고 이성적인 인물이다. 수년 만에 단단한 얼음을 깨고 나오듯이 희비가 엇갈리는 감정을 강렬하게 담아내야 해.'

공책이 빼곡하게 분석을 마친 이도원은 손가락 사이로 펜을 돌렸다.

이제 대사에 숨결을 불어넣을 차례였다. 그는 먼저 독백할 때마다 일일이 녹음하며 자신이 안 좋은 쪼(연기의 버릇)가 있는지 거듭 확인했다.

'호흡이 끊겨. 어미도 떨어지고. 소리도 먹는다.'

이도원은 고개를 절레절레 저었다.

연기를 처음 하는 사람에게서 흔하게 나타나는 문제점들이었다. 자신감이 부족해서 발생하는 것이 아니라면, 이 모든 원인은 기본기가 불안정하기 때문에 나타나는 것이다.

'원인을 안다는 건 개선할 수 있다는 뜻.'

이도원은 먼저 체력 단련과 스트레칭을 한 시간씩 병행하며 총 두 시간 동안 몸을 이완시켰다. 말이 좋아 두 시간이지 땀이 비 오듯 흘러 옷이 흠뻑 젖었다. 이걸 웜업(Warm up : 준비운동)이라고도 한다.

그는 평소처럼 운동을 마친 후 호흡을 시작했다. 몸을 꼿꼿이 세우고 숨을 끝까지 들이쉰 다음 얼굴이 빨개질 때까지 참았다. 그 상태를 유지하면서 속으로 30초를 세자 머리가 어지러웠다. 그러고 난 뒤 다시 30초 동안 참았던 숨을 조금씩 일정하게 잇새로 내보냈다.

"스으으으으으……."

산소 부족으로 기절할 것만 같았다. 그럼에도 무려 두 시간 동안 호흡을 반복했다.

다음은 발음과 발성을 연습할 차례였다. 이도원은 자음 열네 자에 모음 스물한 자를 대입해 한 글자씩 끊어서 뱉어냈다. 그는 목과 가슴에 힘을 빼고 오직 뱃심만으로 발성했다.

"가! 나! 다……."

한 세트를 마친 이도원은 다음 단계로 넘어갔다. 그는 같은 방식으로 진행하되 이번에는 글자를 길게 늘여서 하품하듯 길게 뽑아냈다. 여전히 배에만 힘을 주었다.

"가! 나! 다……."

글자를 말할 때는 입을 크게 벌리고 얼굴 근육을 최대한 사용했다. 이도원은 발성 연습도 두 시간을 채웠다. 그는 콧노래를 흥얼거리며 땀에 젖은 모습으로 거울 앞에 섰다.

'내가 이렇게 행복해도 되나?'

이도원은 아직도 연기를 할 때마다 살아 있음을 느꼈다. 특히나 목소리가 나올 때 흥분을 주체할 수가 없었다. 매일 밤 아침에 눈을 뜨지 못할까 봐 불안할 만큼, 이십 년 전의 과거로 돌아온 사실이 꿈만 같았다. 꿈이라면 깨고 싶지 않았다.

이제 독백 대회까지 일주일.

학교가 파하면 오후 다섯 시쯤 집에 도착한다. 총 여섯 시간 동안 기본기를 닦으면 벌써 밤 열한 시. 어쩔 수 없이 새벽 네 시부터 아침 일곱 시까지 하던 아침 운동 시간을 독백 대사 연습으로 대체했다. 뿐만 아니라 등하굣길, 심지어 쉬는 시간까지 대사를 입에 달고 다녔다. 늘 한 손에는 휴대폰 녹음기를 켜놓은 채로.

이도원은 하루가 다르게 살이 빠졌다. 보다 못한 어머니가 방에 틀어박혀 시끄럽게 연습하고 있는 그를 보며 물었다.

"대체 요새 뭐하고 다니는 거니? 네 누나가 시끄럽다고 고성방가로 경찰에 신고한다더라."

그 말을 들은 이도원은 머쓱해졌다.

요새 그가 자주 이상행동을 보이는 바람에 다들 걱정하고 있었다. 하지만 누나 이다원도 툴툴거리기나 했지 직접적으로 간섭하거나 나무라지 않았다. 어머니는 말할 것도 없이 그를 이해해 주었다. 그에 반해 정작 자신은 독백 대회에 정신이 팔려 소중한 가족들의 입장을 헤아리지 못하고 있던 것이다.

'사람은 간사하다고, 새 삶을 얻고도 그 새 가족의 소중함을 간과했다.'

이도원은 스스로를 자책하며 주변 연습할 만한 곳을 살폈다. 연습실은 비용이 만만찮기 때문에 오래 이용할 수가 없었다.

그는 어머니에게 용돈으로 독서실을 다니겠다고 안심을 시켜 놓고 아파트 공사장을 찾아갔다. 연습비를 벌려고 막노동을 뛰거나 하는 눈물겨운 사연은 아니었다. 진짜 이유는 넓은 부지의 공사가 중지된 곳이라서 아무리 소리를 질러도 듣는 이 하나 없기 때문이었다. 오밤중까지 사방이 트인 공사장에 있으려니 무섭다는 단점이 있었지만 연기 연습을 하기에는 꽤나 적합했다.

연습 장소가 집에서 공사장으로 바뀌면서 뜻밖의 수확도 있었다. 넓은 무대에서 어떻게 움직일지 연기 동선을 짤 수 있게 된 것이다.

이도원은 독백 대회 하루 전인 금요일 날, 등굣길에 박서진을 만났다. 워낙 정신없이 일주일을 보내느라 그녀를 전혀 신경 쓰지 못했다.

"너 독백 대회 나간다면서? 소문이 파다해."

"그게 소문날 일인가?"

이도원이 되물으며 고개를 갸웃거렸다. 대답을 바란 건 아니었지만 박서진은 그 질문에 답했다.

"독백 대회 나가는 게 소문날 일이 아니고 연극 동아리를 만든다고 했던 게 문제였지. 독백 대회는 덤으로 소문이 난 거고. 연극부 선배들이 너 벼르고 있다더라?"

"어차피 부딪칠 거였는데 잘됐네. 매는 빨리 맞을수록 좋지."

"긍정적이라 참도 좋으시겠어요."

박서진은 자못 냉랭한 말투로 비꼬았지만 그 안에 내포된 걱정까지 모두 숨기진 못했다. 얼굴 표정에서 여실히 드러나는 것이다.

'애가 날 좋아했었나? 속상한가 본데.'

정작 이도원은 그녀만큼 걱정하고 있지 않았다.

전생의 그였다면 이런 일을 벌일 생각도 못했겠지만, 일을 벌였다 한들 선배들에게 찍히면 벌벌 떨었을 것이다. 하지만 지금은 오히려 반기는 마음까지 들었다.

"걔들, 특별활동비로 요청하는 학교 공금을 전부 꿀꺽하고 있어. 공연 관람비로 여자애들 불러서 파티하고, 소품 구입비는 외부 강사한테 뇌물로 먹이지."

타임 슬립이 일어나기 전 이도원은 이미 현재를 살아보았다. 그 기억에 의하면 박서진과 함께 연극부에 들어간 뒤 얼마 되지 않아 우연히 선배들의 부정한 모습을 알게 됐다. 비록 맞서지 못하고 선배들이 졸업할 때까지 허드렛일을 빙자한 괴롭힘을 당해야 했지만.

1년 후 모든 사실을 알게 된 학교 측은 이 사건을 적당히 덮었고, 연극부 선배들도 무사히 졸업했다. 연극부의 전담 외부 강사를 해고하는 걸로 사건은 단순 마무리됐다. 순진한 열일곱 살의 이도원으로서는 선뜻 믿기 힘든 진실이었다.

"그걸 네가 어떻게 알아?"

이도원은 어린아이에게 세상의 부정적인 단면을 보여주는 기분이었다.

"믿든 말든 사실이야. 너, 누군가 네가 사랑하는 사람들 갖고 장난치면 어쩔래?"

"그야 가만 안 두지!"

박서진이 생각도 하기 싫다는 듯 조금 흥분해서 대답했다.

이도원이 거 보라는 듯 말했다.

"그렇지? 나도 연기 갖고 장난치는 새끼 보면 가만 두기 싫어. 연극부를 고발하려 해도 물증이 없으니 와해시키는 편이 빠른 거고."

"사람이랑 연기랑 같아? 네 말이 전부 사실이라고 치자. 그럼 그런 무서운 선배들이 가만히 있을까? 널 내버려 두겠냐고? 연기를 하고 싶으면 차라리 예고로 전학을 가!"

"죄지은 새끼가 떠나야지 내가 왜 떠나냐."

이도원은 박서진의 단발머리를 헝클어뜨리며 서늘하게 말했다.

"나도 가만히 안 있는다. 두고 봐. 누가 떠나게 되는지."

3장

감각적인 배우, 기술적인 배우

연극부 선배들은 이도원이 독백 대회 우승으로 선빵을 날리기도 전에 강압적으로 밀고 들어왔다.

점심시간을 틈타, 연극부 선배 셋이 교실 문을 부술 듯이 열고 그를 지목한 것이다.

"이도원!"

가장 앞에 서 있는 선배는 중학교 때까지 지역에서 싸움 좀 한다고 이름을 날렸던 유희찬이었다.

달고 온 두 명은 그와 중학교 동창이자 전형적인 양아치인 송건규, 박상민이다.

'애들은 애들이야.'

이도원은 그들의 발상에 동감할 수 없었다. 심지어 건들대는 걸음걸이조차 이해가 가지 않았다.

'왜 저렇게 걷지?'

조폭영화를 봐도 좀 멋진 걸 따라 하지, 꼭 저런 날라리의 겉멋만 배운다. 마치 자신이 싸구려라고 자랑하듯이 수준 이하의 것들을 멋으로 착각하고 따라 한다.

그들은 이도원의 이런 생각을 알 수 없었다.

"미친 새끼야. 죽고 싶어?"

유희찬은 그의 멱살을 확 잡아끌었다.

앉아 있던 이도원이 딸려 일어나며 책상이 넘어졌다.

'싸우면 이길 수 있을까?'

송건규, 박상민은 상대가 가능했다.

영화처럼 이길 수는 없겠지만 개판 오 분 전으로 붙으면 이긴다. 매일같이 체력 단련을 하고 있는 이도원이 담배만 피우던 그들에게 깡과 체력에서 뒤질 리 없으니까.

문제는 꽤 오랫동안 복싱을 배웠다는 유희찬이었다. 아이들의 말을 빌리면 요즘에는 이종격투기까지 배우고 있다고 했다.

유희찬의 자신감의 밑바탕에는 이길 수 있다는 근거가 깔려 있었다. 그러든 말든, 붙어보면 알 일. 몇 대 맞는다고 안 죽는다.

"후."

짧게 심호흡 한 이도원이 유희찬의 콧대를 겨냥해 박치기를 날렸다. 기습적인 공격에도 유희찬은 팔로 막으며 그의 배를 발로 찼다.

우당탕!

중심을 잃은 이도원이 의자들을 넘어뜨리며 쓰러졌다.

"개새끼가 뒈지려고."

유희찬이 그를 밟으려 할 때 반 아이들이 들러붙어 말렸다.

"안 돼?"

아이들이 주춤거리며 그를 놔주었다. 하지만 이도원에게는 충분한 시간이었다. 그는 청소 도구함에서 밀대 걸레를 꺼내 발로 몇 번 힘껏 걷어차서 걸레 자루를 부러뜨렸다.

"뭐 들면 이길 것 같냐?"

유희찬이 피식 웃었다. 이도원도 똑같이 피식 웃으며 대답했다.

"만에 하나라도 내가 이기면 넌 오늘 죽는다."

그는 들고 있던 걸레 자루를 거꾸로 들었다. 부러지면서 갈라진 날카로운 나뭇조각이 이를 드러냈다.

"이런 씨……."

유희찬은 말을 잇지 못했다.

이도원이 달려오고 있는 것이다. 단숨에 걸레 자루로 유희찬을 찌를 기세였다. 깜짝 놀란 유희찬이 되는대로 의자를 들어 막았다.

쾅!

'이 미친 새끼, 진짜 날 죽이려고 했어.'

유희찬은 간담이 서늘했다. 그가 막지 못했다면 날카로운 나뭇조각이 목이나 얼굴을 꿰뚫었을 터였다. 반면 이도원은 다 머리를 굴리며 계산한 바였다. 만약 유희찬이 막아주지 않았더라면 걸레 자루를 멈췄을 것이다. 그는 아슬아슬하게 연기를 하고 있었다. 그리고 이제 자존심이 목숨보다 중요할 유희찬에게 탈출구를 만들어줄 차례였다.

"나중에 제대로 붙자, 비겁한 새끼야. 선배라는 새끼가 비겁하게 셋이나 끌고 와서 꼴값 떨지 말고."

"이거 완전 상도라이 아니야?"

유희찬은 의자를 던져 버린 뒤 죽일 듯이 노려봤다. 하지만 오 분 후면 수업 종이 울릴 테고, 방금 막 죽을 뻔했다는 공포감이 더 컸다. 겁만 주러 온 건데 괜히 미친놈을 잘못 건드렸다가 정말 생사결전을 벌여야 할지도 몰랐다.

이도원의 노림수였다. 그의 뜻대로 유희찬의 호흡이 점점 가라앉고 있었다.

"넌 나중에 뒤졌어, 새끼야."

"그래. 나중에 연락해라. 그때 박살 낼 준비해서 갈게."

물론 이도원은 그때 가서 박살 내거나 박살 날 생각이 조금도 없었다. 유희찬이 유치하게 완력을 썼으니 마찬가지로 유치하게 나가는 것이다. 싸움을 막을 수 있는 방법이 이것밖에 없다면 공갈 협박을 해서라도 유혈 사태를 막는 것이 최선이었다.

'죽기로 싸워봐야 서로 손해지.'

타임 슬립 전 이도원은 서른일곱 살이었다. 그것도 연기를 하는 배우였다. 감정 하나 마음대로 조절하지 못해서 학생들과 치고받아서 돈은 돈대로 물고 어머니 속을 썩일 수는 없는 일이었다. 더구나 괜히 싸움질을 했다간 독백 대회 참가나 연극 동아리 창립도 고스란히 물 건너갈 터였다.

유희찬은 생각할수록 분했다. 하지만 심장은 아직도 쿵쾅대고 있었다.

눈이 벌게져서 달려드는 이도원은 미치광이 같았다. 그가 연기를 했다는 걸 꿈에도 모르는 유희찬으로서는 마치 살인마를 본 것처럼 공포심이 드는 것이다.

'그놈, 정상이 아니야.'

그는 수업에 들어가는 대신 연극부실로 갔다. 그곳에는 연극 부장인 이태곤이 기다리고 있었다.

"어떻게 됐냐?"

"그 새끼, 도라이야."

"뭐?"

유희찬이 대답 대신 송건규와 박상민을 보며 말했다.

"너희가 말해봐."

그들은 한마디씩 거들었다.

"대걸레 부수더니 뾰족한 곳으로 찌르려고 했다니까?"

"희찬이 안 막았으면 지금쯤 죽었을걸. 그 새끼 표정 봤냐?"

이태곤은 기가 막혔다. 세 명이나 몰려가서는 후배한테 잔뜩 쫄아서 온 것이다.

"야, 그 새끼도 생각이 있는데 진짜 죽이려고 했을라고?"

"아니, 생각이 없다고. 그냥 미친놈이라니까? 씨발, 수틀리니까 바로 무기 들고 덤비더라."

"일 커질까 봐 몸 사린 건 아니고?"

"아니라고. 왜 말을 못 믿냐. 빡치게."

이태곤도 유희찬의 깡다구는 잘 알고 있었기에 더 묻지 않았다. 그 말이 사실이라면 괜히 잘못 건드렸다가 일이 커질 수도 있었다. 그렇게 되면 연극부 해체는 물론이고 순식간에 상황이 심각하게 흘러갈 수 있었다.

"태양이한테 말해볼게."

"한태양?"

유희찬도 아는 이름이었다.

이태곤의 중학교 동창으로 아직 철이 덜 든 놈이었다. 좋게 말해서 철이 덜 든 놈이고, 나쁘게 말하면 방금 전에 마주쳤던 이도원과 용호상박 수준으로 미친놈이었다.

"걔, 소년원에서 나왔냐? 도와줄까?"

"돈 좀 쥐어줘야지."

이태곤이 씨익 웃었다.

"그 새끼 나서면 이도원 같은 놈 처리하는 건 일도 아니야.

괜히 일 커지면 안 되니까 카메라 없는 데서 어디 한 군데 부러 뜨리고 째라고 해야지."

"얼마나 줄 건데?"

"합의금 나오면 전부 물어준다고 해야지. 따로 한 이십만 원 쥐어주고. 그 새끼 요즘 학교에서 괴롭히던 애들 보고 집에서 돈 훔쳐 오라고 시킨다더라."

한태양은 중학교 때부터 지역에서 가장 싸움을 잘한다고 소문이 났었다. 뿐만 아니라 성질이 더럽기로 유명했는데 특히 약자에게 강했다. 후배들의 돈을 갈취하고 동급생을 심하게 괴롭혀 학교에서 잘리고 소년원까지 갔다 왔다.

이태곤이 살벌하게 말했다.

"그 일 학년 새끼, 운 좋게 내일 예선 통과한다고 해도 절대 상 못 받는다. 그전에 팔다리 한 군데는 부러질 테니까."

"미친 새끼. 넌 악마야."

이희찬의 감탄 섞인 말에 이태곤이 웃음을 터뜨렸다.

그들은 주거니 받거니 수업도 재끼고 이도원을 씹었다.

이도원은 예선 날 아침인 토요일에도 여느 때처럼 체력 단련과 스트레칭으로 몸을 이완시키고 간단하게 호흡, 발성, 발음 연습, 동선 체크를 한 뒤 대사까지 검토했다.

그동안의 성과는 매우 만족스러웠다. 고개를 끄덕인 이도원은 전날 준비해 뒀던 복장으로 갈아입었다.

〈벚꽃동산〉의 시대적 배경에 어울리도록 검은색 정장에 흰색 셔츠, 검은 보타이(나비넥타이)를 했다. 왁스를 발라 머리를 올백으로 넘기고 스프레이로 고정시켰다.

한 명의 신사가 거울 속에 있었다.

"나는 로빠힌이다."

스스로에게 말한 이도원이 거실로 나갔다. 턱을 치켜들고 가슴을 활짝 편 다음 느긋하게 걸었다.

"주말인데 그러고 어디 가?"

거실 소파 위에 양반다리로 앉아 과자를 먹으며 TV를 보던 이다원이 물었다.

다림질을 하는 어머니의 시선도 함께 이도원을 향했다.

"오늘 대회라고 했나?"

물어본 어머니가 말했다.

"파이팅! 그렇게 입으니까 진짜 잘났네, 우리 아들. 바로 뽑아주겠다."

"아니야. 엄마. 요새는 연기를 잘해야 돼, 연기를. 내가 쟤 매일 집에서 돼지 멱따는 소리 낼 때 딱 들었는데 한참 멀었어요."

이다원이 부정했다. 자존심에 스크래치가 난 이도원이 매섭게 답했다.

"누난 평소 목소리가 돼지 멱따는 소리예요. 그리고 그만 좀 먹어. 돼지가 돼지 타령이야. 대회 날 아침부터."

"네 대회지 내 대회니?"

이도원은 상대할 가치가 없다는 듯 고개를 절레절레 저으며 현관문을 열고 외쳤다.

"박살 내고 올게요!"

* * *

한국예술대학교는 차로 오 분 거리였다. 택시로는 기본요금이었다. 택시를 잡은 이도원이 말했다.

"한예대 정문으로 가주세요."

택시가 출발했다.

택시 기사는 백미러 너머로 이도원을 보더니 물었다.

"어디 연주회 가시나?"

"아뇨! 연기합니다. 지금은 독백 대회 가는 길이에요."

"연기? 한번 해봐요. 내가 관객이 되어줄라니까!"

뜻밖의 제안에 이도원은 반색했다.

그는 호흡을 아랫배까지 들이마신 뒤 힘차게 뱉었다.

"가! 나! 다……!"

택시 기사는 자신의 입을 저주했다.

한순간의 말실수로 거의 오 분 간 훈민정음을 들어야 했다.

"아니, 연기하겠다며?"

이도원은 능청스럽게 웃으며 답했다.

"연습도 연기의 일환이죠. 독백 대회가 코앞인데 조금이라도 목을 풀어야 돼서요."

밉지 않은 학생이었다. 외모가 잘생겼기 때문만은 아니었다. 말투나 행동이 바르고 호감이 갔다. 택시 기사는 기분 쓴다는 투로 대답했다.

"듣다 보니 우렁찬 게 시원시원하고 마음가짐도 좋구먼! 대신 꼭 우승해요."

물론 한 가지 다짐도 잊지 않았다.

'내 연기하는 손님 태우고 다신 연기 시키나 봐라!'

이도원은 그 덕분에 성대와 얼굴 근육을 조금이라도 더 이완 시킬 수 있었다. 근육이 이완되면 긴장도 슬슬 풀리게 마련이다. 연습하는 사이 한예대에 도착한 이도원은 택시 요금을 계산하고 내렸다. 머리 위로는 〈한국예술대학교 청소년 독백 연기 경연 대회〉라는 큰 현수막이 걸려 있었다.

택시 기사는 출발 전 한 마디를 잊지 않았다.

"염불 외는 줄 알았네. 아무튼 꼭 일 등 하시게!"

"감사합니다."

이도원은 한예대 정문을 지나 예선이 열리는 '이말수 예술극장'으로 갔다. 한예대 학술회관인 '이말수 예술극장'은 이말수라는 명배우를 기려 만들어진 장소였다.

극장 앞에는 한예대 연기과 학생들이 길 안내를 맡고 있었다.

"이쪽으로 들어가시면 돼요."

독백 대회 참가자들이 동경하는 눈빛으로 바라보며 입장했다.

그 모습을 보고 있자니 이도원은 미래에 대한 고민이 들었다.

'나도 대학을 가야 할까?'

전생에서는 그 역시 대학교 연기과를 졸업했다. 하지만 이번 생에서까지 한 번 받았던 교육을 다시 받을 필요가 있나 싶었다. 학벌사회가 아니라면 하지 않았을 고민이었다.

'뭐, 아직 이 년이나 남았으니까.'

그동안 무슨 일이 생길지, 얼마나 발전할지 알 수 없었다.

이도원은 고민을 훌훌 털고 극장 안으로 들어갔다.

극장 안을 본 순간 이도원은 가슴이 벅차올랐다.

마침내 입술을 비집고 한 마디가 나왔다.

"무대."

얼마 만에 돌아온 무대인지. 오랜만에 무대를 마주하자 심장이 서서히 두근거렸다. 이도원은 눈을 감고 이 감정을 구석구석 음미했다.

무대는 신비로운 흥분을 불러일으킨다. 무성극을 하며 한 번도 객석을 꽉 채운 만석을 본 적은 없었지만, 단 한 명이라도 관객이 보내는 눈길과 박수는 배우에게 단비를 내린다. 감격에 젖었던 이도원은 번호표를 받고 지정된 좌석에 앉았다.

극장 안에는 이미 많은 학생이 연습을 하고 있었다. 객석에 엉덩이를 붙이고 기다리는 학생은 거의 없었다. 그들 모두 초조하기 때문이다. 그때 무대로 한 사람이 등장했다.

"아, 아. 안녕하십니까? 반갑습니다. 한국예술대학교 청소년 독백 연기 경연 대회 사회를 맡게 된 연기과 학회장 고명진이라고 합니다. 이제 입구에서 받은 번호대로 착석해 주세요."

그 말에 따라 학생들이 자기 자리로 돌아갔다. 이도원의 번호는 89번이었다. 발표는 1번부터 진행되는데, 총 123명의 지원자가 있었다. 심사위원석은 객석을 등지고 있어 얼굴을 볼 수 없었다.

'입시 형식으로 진행되는군.'

한예대에서 개최한 대회라 그런지 대학 입시 실기시험장 분위기였다. 모든 참가자가 착석하자 사회자 고명진이 입을 열었다.

"예선 때는 많은 참가자의 연기를 보기 때문에 빠르게 진행하도록 하겠습니다. 번호가 호명되면 한 분씩 나와서 준비한 자유 대사를 하시면 됩니다. 아쉽지만 그럼 전 이만 들어가 보겠습니다. 여러분도 아쉬우시죠?"

그는 여운을 남기고 사라졌다. 극장 불이 일제히 꺼지며 무대 위로 한줄기 밝은 조명이 들어왔다. 객석에 앉아 있던 학생들은 저 위로 올라가 스포트라이트를 받으면서 연기를 펼쳐야 한다는 부담감에 표정이 굳었다.

반면 이도원은 미소를 그렸다.

'이제 시작이다.'

수많은 명배우가 말한다. 배우의 원동력은 두려움이라고. 바로 이 긴장감과 두려움을 즐길 줄 알아야만 흥분과 영광을 얻을 수 있다고.

심사위원이 손을 내저었다.

백 명이 넘는 참가자를 모두 봐야 했기 때문에 대부분 무대는 1분이 안 돼서 잘려 나갔다. 방금까지 연기를 하던 88번 참가자는 객석에 깔린 그림자만큼이나 어두운 얼굴로 무대를 내려왔다. 백 퍼센트 만족할 수 없는 무대가 대부분이지만, 연기가 중간에 잘리면 그 허무함이 배우를 짓누른다. 시원섭섭하다는 감정은 어디까지나 무대를 끝까지 소화했을 때의 이야기인 것이다.

"다음."

심사위원의 신호에 스피커가 울렸다.

"다음 참가자는 89번 이도원 군입니다."

이도원은 객석에서 몸을 일으켰다.

그는 무대로 이어지는 계단을 걸으며 머릿속이 하얘지고 심장이 미친 듯이 뛰는 걸 느꼈다. 백번 천 번 무대를 서도 배우가 무대에 오를 때마다 받는 느낌은 똑같았다.

'완벽해지려고 하지 마라. 잘 보이려고 하지 마라. 배우가 가진 모든 것을 해소해 낼 수 있는 연기를 해라.'

이도원이 천천히 무대 중앙에 섰다. 그리고 객석으로 몸을 돌렸을 때, 그는 뜻밖의 얼굴을 보았다.

'이상백 감독님?'

무성극단에서 활동할 당시 극장주였던 이상백 미술감독이 그곳에 있었다. 비록 이십 년이나 젊어졌지만 쌍꺼풀이 없는 매서운 눈매와 매부리코, 깡마른 얼굴도 틀림없는 그였다. 파뿌리처럼 희었던 머리가 검어지고 주름살이 조금 사라졌을 뿐, 그때나 지금이나 똑같았다. 테이블 위에 올려진 〈학과장 이상백〉이라는 심사위원 명패가 보였다. 옛날에 교수 겸 무대연출을 했었다는 이야긴 들었지만 설마 한국예술대학교의 학과장이었을 줄은 짐작도 못 했다. 그는 이도원에게는 배우 활동을 지속할 수 있게 해준 투자자이자 은인이었다. 그래서 더 문제가 된다.

'감정을 주체할 수가 없다.'

이상백을 만났지만 아는 척을 못 한다는 사실이 기쁨과 아쉬움을 교차시켰다. 가슴속에서 한차례 태풍이 휘몰아치자 도저히 로빠힌으로서 감정을 잡을 수가 없었다. 그러나 시간은 기다려 주지 않았다.

"뭐지?"

이상백은 전생에서처럼 따뜻한 모습이 아니었다. 연출자의 서릿발 같은 분위기를 품고 있었다. 이윽고, 이도원이 고개를 들었다.

　　　　*　　　　*　　　　*

　이도원은 자신이 선택한 〈벚꽃동산〉의 로빠힌에게 극도로 몰입하며 시선을 허공에 고정시켰다.

　순간, 상대역이 눈앞에 그려졌다.

　'뭐야?'

　이도원은 갑작스러운 현상에 놀랐다. 독백을 할 땐 주변 환경과 사물, 상대역이 있다고 상상하며 연기를 한다. 하지만 아무리 상상을 해도 지금처럼 뚜렷하게 형상화(形象化) 된다는 건 듣도 보도 못한 일이었다. 하지만 어떠한 상황이 오더라도 연기의 흐름은 이어가야 했다.

　이도원은 한발 앞으로 나서며 비장하게 말했다.

　"제가 샀습니다."

　묵직한 단 한마디. 하지만 그 한마디가 참가자 명단을 넘겨보던 이상백의 시선을 무대로 이끌었다.

　이도원이 바라보는 곳. 그의 눈에만 보이는 상대역이 벚꽃동산의 열쇠를 집어 던진 뒤 경매장을 박차고 나갔다.

　이도원은 그녀를 뒤돌아보지 않고 경매장 사람들을 보며 말을 이었다.

　"모두들 잠깐만 기다려 주세요, 부탁합니다. 머리가 어지러워 제대로 말을 할 수가 없네요……."

　그는 흔들리는 동공과 혼란스러운 표정으로 중얼거리며, 자조적인 웃음을 흘렸다.

"섬세하군."

이상백이 나직한 목소리로 말했다. 목소리는 심사위원들에게만 들렸을 뿐 무대까지 닿진 않았다. 이상백은 책상 위로 깍지를 끼며 턱을 괴었다.

이도원은 살짝 떨리는 목소리로 다시 입을 열었다.

"우리가 경매장에 갔더니, 제리가노프가 벌써 그곳에 와있었어요."

그는 영웅담을 늘어놓듯 가슴을 활짝 펴며, 자신이 제리가노프를 상대로 입찰 경쟁에서 이긴 과정을 설명했다. 그리고 벚꽃동산의 농노에 불과했던 자신이 주인이 되었다는 희열에 휩싸여 덧붙였다.

"…결국 제게로 낙찰되었어요. 이 영지는, 이 벚꽃동산은 제 거예요. 제 거라고요! 아아, 하나님. 벚꽃동산이 이제 내 거예요."

이도원은 대사를 이어나가며 호흡을 바꾸었다. 호흡이 빨라지면서 회한과 분노가 조금씩 드러났다. 흥분을 자제하는 것처럼 목소리 톤은 유지하되, 미미하게 떨리는 음성으로 발을 굴렀다.

"하지만 저를 비웃지는 말아주세요! 돌아가신 나의 아버지와 할아버지가 무덤 속에서 저를 보셨으면 좋았을 거예요! 매일매나 맞고 제대로 글도 읽지 못했던 돌대가리, 겨울에도 맨발로 뛰어다니던 이 로빠힌이 백과사전에도 나오는 아름다운 영지를 샀으니까요."

그를 보며 이상백은 강둑이 터지는 느낌을 받았다. 이도원이 언성을 높이지 않았음에도 객석으로 설움이 쏟아졌다. 관객들은 감정에 흠뻑 젖어버렸다.

'연기력으로 압도하고 있다. 이런 무대장악력은 재능이라고밖에는 말할 수 없는데……'

이상백이 내심 감탄했다. 이도원이 발성이 부족하다는 걸 아무도 눈치채지 못하고 있었다. 오히려 자연스럽게 갈라지는 목소리가 보는 이들로 하여금 감성을 자극했다. 호흡을 자유자재로 다루며 극을 끌어가고 있는 것이다. 물론 그마저도 이상백의 날카로운 청각을 피해 갈 수는 없었다.

"발성을 호흡으로 완전히 가려 버렸군."

그는 노련한 연극배우들에게서나 볼 수 있는 영리한 임기응변을 이곳에서 볼 수 있을 줄은 꿈에도 몰랐다. 연기를 잘하려면 여우가 되어야 한다는 말은 헛소리가 아니었다. 그런데 눈앞의 어린 학생이 그걸 해내고 있는 것이다.

한편 이도원은 완벽하게 몰입된 상태였다. 감정이 최고조에달하며 목소리 톤은 점점 낮아졌다.

"제 할아버지와 아버지가 농노로 지냈고, 여기 부엌조차도들어가지 못했던 그 영지를 내가 산 거예요."

이도원은 주위를 두리번거리며 좌중에게 무언의 질문을 던졌다. 이 일이 꿈인지 생시인지. 잇따라 맨 처음 여인이 집어 던졌던 열쇠를 줍고는 좌중을 향해 미소 지었다.

"열쇠를 집어 던졌군요."

웃음기가 씻은 듯 가셨다.

"상관없어."

다음 대사를 이어나가려는 순간 이상백이 손을 흔들었다. 그 신호에 따라 이도원은 연기를 멈췄다. 연기가 멈추고 나서야 정신을 차린 심사위원들이 헛기침을 토했다.

유일하게 이성적으로 모든 연기를 지켜본 이상백이 말했다.

"발성은 조금 부족했지만 발음이 또렷해서 알아들을 수 있는 수준이었고, 결과적으로는 무대장악력이나 연기력으로 커버가 됐어. 호흡을 갖고 놀면서 감정을 만들어냈지. 실제로 사물을 보고 있는 것처럼 시선 처리도 완벽하더군. 관중들은 배우의 시선과 호흡에 이끌리게 마련인데……."

그는 이제껏 독백 연기를 보며 처음으로 평을 했다. 이어진 뒷말이 이도원의 의표를 찔렀다.

"네가 하는 연기는 단순한 재능으로 치부할 수 없어. 현장에서 혀를 내두를 만한 연기를 펼치는 아역들도 스크린으로 보면 모를까, 직접 봤을 때 그런 느낌을 주진 못한다. 흔히 그걸 무대장악력이라고 하지. 관록이라고 부르기도 하고 말이야. 그 나이에 이런 연기를 보여주는 건 어울리지 않는군. 뭔가가 있는 것 같은데, 이름이 뭐라고?"

이상백은 그를 보고 느낀 이질감을 표현했다. 그럴 리 없겠지만, 마치 타임 슬립을 했다고 고백해도 믿을 것처럼 보였다.

이도원은 간담이 서늘했다.

'역시 날카로운 양반이야.'

자신만의 연기 스타일을 갖기에는 이도원의 나이가 너무 어렸다. 이상백이 말했듯이 그건 재능이 아닌 관록이 필요한 일이니까. 그런데 이도원은 그걸 갖고 있었다.

"89번 참가자 이도원입니다."

그는 전혀 내색하지 않고 대답했다.

이상백이 아무리 궁금해해도 이 자리에서 모든 사실을 털어놓을 수는 없는 노릇. 게다가 더 큰 문젯거리가 있었다.

'씻은 듯이 사라졌어.'

그가 연극을 시작할 때 보았던 주변 배경이나 사람, 열쇠의 형상들이 전부 사라져 있었다.

갑작스러운 현상에 불안하고 초조해진 이도원은 어서 이곳을 벗어나고 싶었다.

'확인해 봐야 해. 아까 그게 뭐였는지.'

한편 이상백은 빤히 그를 보다가 성의 없이 고개를 끄덕였다.

"알았다. 내려가라."

이도원은 성큼성큼 무대를 벗어나 제자리에 착석했다.

"다음 90번 참가자……."

그는 호명하는 목소리를 한 귀로 흘리며, 오늘 무대에서 벌어진 일에 대한 생각에 잠겼다.

이도원은 한국예술대학교를 나와서도 기분이 찝찝했다. 처음 겪어보는 현상에 불안한 마음이 든 것이다.

'되살아난 부작용인가?'

어쩌면 되살아난 뒤, 신체가 아닌 정신에 이상이 생긴 걸지도 모른다는 생각이 들었다.

고민 끝에 이도원이 유추한 사실은 집중력을 극도로 끌어 올려서 연기에 몰입하게 되면 상상하는 것들이 형상화된다는 것이다. 물론 안개처럼 흐릿하게 보여서 현실의 사물과 구분할 수는 있었다. 그는 이 괴현상이 앞으로 어떤 방향으로 진행될지 짐작할 수 없었다.

'정신과를 한번 가봐야겠어.'

몸에 이상이 생기면 병원을 가봐야 한다. 정신에 이상이 생겨도 정신건강의학과를 가봐야 한다는 게 이도원의 생각이었다. 단순한 환각으로 치부하기에는 느낌이 전혀 달랐다.

이도원은 집에서 나왔을 때와 달리 걸어가는 쪽을 선택했다. 생각을 정리하기에는 걷는 편이 좋았기 때문이다.

'예선도 끝났으니 남은 건 결과를 기다리는 일뿐이다. 그나저나 이상백 감독님, 은근히 소심한 면이 있는데. 대답 똑바로 안 했다고 떨어뜨리진 않겠지?'

이런저런 생각을 하며 골목 귀퉁이를 막 돌았을 때였다.

"네가 이도원이냐?"

이도원이 고개를 들며 뒤를 보았다. 그곳에는 반삭한 머리에 한 덩치 하는 남자가 있었다. 유난히 팔이 길고 어깨가 넓었으며 목을 타고 문신이 올라와 있었다. 정신을 팔고 걷느라 누가 쫓아오는지 전혀 못 느끼고 있었다.

"그런데?"

"존댓말해. 새끼야."

남자는 다짜고짜 주먹부터 휘둘렀다.

*　　　*　　　*

퍼억!

이도원은 한 방에 나가떨어졌다. 기습이었다지만, 정면으로 붙었어도 얻어맞았을 터였다.

눈앞이 아찔했는데 깨어보니 누워 있었다.

'이 새끼는 뭐야?'

이도원은 속으로 욕지거리를 뱉으며 일어나는 척 휴대폰 녹음기를 켰다. 연기하면서 녹음 기능을 많이 썼기 때문에 들어가기 편하도록 휴대폰 첫 화면에 설정해 놓았다. 따라서 상대방의 눈을 속이는 건 어렵지 않았다.

'당하더라도 증거는 남겨야지.'

이도원의 생각이었다.

녹음기의 존재를 꿈에도 모르는 남자가 말했다.

"괜히 저항하다 옥수수 다 털리지 말고 깨끗하게 팔, 다리 하나만 부러지자. 나 한태양이야."

들어본 적 없는 이름이었다.

자신 있는 말투나 모양새를 보면 꽤 유명한 양아치인 것 같았다. 보자마자 주먹을 날리는 것만 봐도 타임 슬립 때문에 기억하지 못하는 친구는 아니란 것을 알 수 있었다. 더구나 일기장에조차 언급되어 있지 않았던 이름이다.

"그게 누군데?"

"너 이사 왔냐?"

남자, 한태양이 기가 막힌다는 듯 말했다.

"날 모른다고? 그럼 좆나 더 억울하겠네. 모르는 사람한테 맞는 거니까."

그는 능숙하게 이도원의 멱살을 잡으며 다리를 걸었다. 순간 이도원의 몸이 공중으로 붕 떠서 곤두박질쳤다.

"컥!"

이도원은 본능적으로 위험하다고 느꼈다. 순간 살아 나갈 방법을 떠올렸고, 일부러 머리를 벽돌 쪽으로 갖다 대며 넘어졌다.

"일어나라. 너 오늘 집에 못 가."

한태양은 어깨를 돌리고 있었다.

워낙 외진 골목이라 지나다니는 사람이 있을 확률은 극히 적었다. 그리고 누군가 우연히 비명을 들었을 때 와줄 가능성보다 한태양이란 미친놈이 더 위험한 행동을 할 가능성이 높았다. 따라서 이도원은 소리를 지르는 대신 크게 다친 척 연기를 했다.

"뭐야?"

한태양은 무언가 이상함을 느끼고 다가와서 이도원의 **뺨**을 쳤다. 하지만 이도원은 미동도 않고 가늘게 숨을 쉴 뿐이었다.

"아, 씨발. 좆 됐네."

안절부절못하던 한태양이 이도원의 발목을 세게 밟았다. 그럼에도 이도원은 어떤 신음도 내지 않았을뿐더러 미동조차 없었다. 머리에 벼락을 맞은 듯 솜털이 뾰족 서는 고통이었지만 이도원은 이를 악물고 참아낸 것이다.

'심하게 삐어서 인대가 늘어났거나, 뼈에 금이 갔다.'

퍽 소리가 나고 발목이 돌아갔다. 즉, 당분간 절룩여야 한다는 사실을 본능적으로 느낄 수 있었다.

이도원의 발목을 무참히 짓밟은 한태양은 담벼락에 기대 담뱃불을 붙였다. 그는 담배를 피우며 이도원을 향해 말했다.

"그냥 똥 밟았다고 생각해라. 그러게 왜 연극부는 건드려서 지랄이야? 다리 한 짝 아작 내놨으니까 당분간 연기는 못 하겠지. 야, 진짜 뒤졌냐? 일어나 봐."

한태양은 이도원의 발목을 툭툭 찼지만 아무런 반응이 없었다. 한태양은 이도원의 가슴에 귀를 가져다 대며 심장이 뛰는지, 숨은 쉬는지 모두 확인했다.

'귀라도 물어뜯을까?'

이도원은 잠시 생각했지만 행동으로 옮기진 않았다. 한 짝 발목이 날아간 상태로 기습했다가 실패하면 자칫 낭패를 볼 수 있었다.

"하여간 또 쓸데없는 짓 했다간 내 얼굴 다시 볼 일 있을 거다. 알겠지?"

한태양은 그 말을 남기고 골목을 나갔다.

완벽히 혼자가 되자 이도원은 신음을 흘리며 몸을 일으켰다.

"으으."

화끈한 통증이 발목을 난도질했다. 당분간은 똑바로 걷기도 힘들 것 같았다.

'가만 안 둔다.'

이도원은 으드득 이를 갈며 골목을 나가 대로변에서 택시를 탔다. 비틀대는 그를 보며 택시 기사가 걱정스럽게 물었다.

"학생. 다친 것 같은데, 병원으로 갈까?"

"예. 한대병원 응급실로 가주세요."

이도원은 한국대학교 부속병원 응급실로 향하며 어머니와 통화를 했다. 일단 연극을 마치고 무대에서 내려오다 계단에서 넘어진 것으로 둘러댔다. 그는 이어폰을 끼고 녹음기를 틀었다. 한태양의 목소리가 모두 녹음되어 있었다.

'연극부는 이제 내 손바닥 안이다.'

한태양이란 놈은 어찌 처리해야 하나 고민이 됐다. 폭행으로 경찰에 신고하면 당연히 한태양은 소환 조치당한다. 녹음기와 목소리를 대조해서 처벌할 것이다. 게다가 폭행은 민법이 아닌 형법이라 합의를 안 봐주면 한태양은 소년원으로 직행할 것이다.

'그 새끼 독백 대회 끝나는 대로 조진다.'

독백 대회는 예선 작품 중 심사위원들이 점수를 매기고 본선으로 올리는 방식으로 진행된다. 예선 결과는 아직 안 나왔지만 떨어졌을 경우를 굳이 생각할 필요는 없었다.

이도원은 독백 대회 본선에서 할 작품을 고민했다. 다행히 본선도 지정 연기가 아닌 자유 연기였다.

'한쪽 다리를 절면서 할 수 있는 연기.'

무성극을 하며 누구보다 뛰어난 움직임 연기를 할 수 있는 이도원이었지만 실제로 다쳤다면 그야말로 자연스러운 연기가 가능할 것이다. 그는 긍정적으로 생각하며 셰익스피어 희곡의 외발 캐릭터를 찾았다.

이도원의 기억으로는 셰익스피어의 〈리처드 3세〉가 외발에 꼽추였다. 리처드 3세는 실존 인물이었다. 셰익스피어 희곡에서는 굉장히 악명 높은 군주로 묘사된다. 읽은 지 워낙 오래돼서 벚꽃동산처럼 생생히 기억나질 않았다.

'아예 작품 분석부터 다시 해야겠군.'

충격적인 일을 당하고도 이도원의 머릿속은 오로지 새로운 인물을 연기하는 것에 대한 열망으로 가득 차 있었다.

이런저런 생각에 잠겨 있는 동안 택시는 병원에 도착했다. 병원에서는 통 깁스를 추천했지만, 이도원은 압박붕대만 감고 목발을 짚는 편을 선택했다. 이유인즉 독백 대회 본선을 치러야 했기 때문이다. 병원에서 집으로 돌아가는 길, 그는 서점에 들러 셰익스피어의 〈리처드 3세〉 희곡을 샀다.

이도원이 집에 도착하자 어머니가 속상한 표정으로 말했다.

"조심 좀 하지……. 나이가 몇 살인데 계단에서 넘어지니?"

"긴장해서 그랬어요."

그는 씨익 웃어준 뒤 재빨리 방안으로 들어갔다. 아직 얻어맞았던 얼굴이 빨갰기 때문이다. 아마 겨울이 아니었다면 직방으로 들통났을 터였다.

"휴우."

이도원은 거울에 얼굴을 비춰 보며 한숨을 쉬었다. 방 정리를 하고 책상에 앉아 〈리처드 3세〉를 펼쳤다. 그리고 책장을 넘길수록 점점 작품에 빨려 들어갔다.

무대에서처럼, 머릿속에 다시 한 번 어떤 광경들이 펼쳐졌다. 상상보단 선명하고 실체보단 흐릿한 장면들이었다.

이도원은 미처 의식하지 못한 채로 책 속에 머물다 화들짝 깨어나며 책장을 덮었다.

"뭐야?"

입술을 비집고 놀란 목소리가 흘러나왔다. 연기만이 아니라

책을 보면서도 같은 현상을 경험한 것이다. 그뿐이 아니었다. 책장을 넘길수록 인물들에 몰입됐다. 그들의 감정선들이 선명하게 이도원의 머릿속으로 쏟아져 들어왔다.

"말도 안 돼."

어떤 배우라도 이 사실을 안다면 하늘이 준 재능이라고 할 것이다. 배우에게 저절로 감정들이 떠오르는 건 음악에 비유하면 모차르트요, 화가로 치면 모네를 뛰어넘는 재능이었으니까.

'이건 원래 내 능력이 아니야.'

이도원은 확신했다.

배우는 크게 두 가지 부류로 나뉜다. 기술적인 배우와 감각적인 배우.

기술적인 배우는 큰 기복 없이 꾸준한 연기를 선보인다. 로버트 드니로나 리처드 해리스같이 꾸준하고 안정적인 연기를 보이는 배우들이 이에 해당한다.

반면 감각적인 배우는 타고난 몰입능력이 뛰어난 대신 연기의 기복이 클 수밖에 없다. 히스 레저나 말론 브란도같이 폭발적인 연기력을 가진 배우들이 그들이다.

이 양면을 모두 갖춘 메소드 연기의 대가라면 배우로서 완전체에 가깝겠지만 두 가지 장점은 물과 기름과 같이 섞이기 힘든 성질의 것이었다. 따라서 평등한 균형을 이루기 힘들었다. 이런 특징들 때문에 연기력이 증명된 대배우가 아닌 이상 동료 배우나 관계자들은 대부분 감각적인 배우보다는 기복 없이 꾸준한 기술적인 배우를 선호한다. 물론 유태일 감독 같은 거장들은 감각적인 배우들도 충분히 컨트롤할 저력을 가지고 있었지만.

'내가 감각과 기술을 동시에 가진 천재라도 됐다는 거야?'

대개 한쪽이 뛰어나면 다른 한쪽이 부족하다. 하지만 두 가지 재능을 모두 갖는 것이 불가능하지만은 않았다. 죽었다가도 살아난 판국에 무슨 일이 벌어져도 이상할 게 없었다.

다만 이도원은 원래 기술적인 배우에 가까웠다. 기술적으로 완벽에 가까워지면 관객의 눈을 완벽히 속일 수 있다. 하지만 그 자신까지 속일 수는 없는 법. 독백 대회 예선처럼 지금도 절제된 연기를 할 수 있었지만 스스로 느끼는 몰입도는 전에 비할 바가 아니었다.

'병원에 한번 가봐야겠어.'

연기적으로 성숙하는 건 반길 일이었지만 이토록 비약적인 현상은 경계해야만 했다. 이도원은 뭐든 과하면 문제가 생긴다고 믿는 편이었다.

＊　　　＊　　　＊

이도원은 목발을 짚고 동네에 있는 개인 병원인 미래정신과의원을 방문했다. 간호사에게 접수를 하고 진료실로 들어가자 예쁜 얼굴의 여의사가 기다리고 있었다. 외모에 따라 직군이

결정되는 건 아니었지만 처음 보는 미녀 여의사였기 때문에 조금 의외였다.

"어떻게 오셨죠?"

그녀가 매력적인 보조개 미소를 보이며 물었다.

책상 위에는 〈원장 차수회〉라는 명패가 놓여 있었다.

"제가 언젠가부터 환각 비슷한 게 보입니다."

"환각이라면 정확히 어떤 환각을 말씀하시는 거죠?"

"전 연기를 하는데요. 공연할 때 주변의 사물이나 인물들을 상상하는 데에 집중하면 육안으로 흐릿하게 보이고요. 희곡 책을 볼 때 집중하면 그런 것들이 머릿속으로 떠올라요. 또 대사만 볼 땐 안 그러는데, 희곡 책을 통째로 읽으면 등장인물들의 감정이 느껴지고요."

"심하게 몰입을 하거나 강박관념에 의해 생길 수도 있는 현상이에요. 그것만으로는 판단하기 어렵다는 뜻이죠. 좀 더 자세히 설명해 볼래요?"

그녀의 말에 곰곰이 생각하던 이도원이 답했다.

"보여 드리는 게 가장 빠르겠죠. 얼마 전 제가 독백 하나를 했는데, 극 중에 열쇠를 줍는 장면이 나와요. 대부분은 손을 펴서 열쇠를 들고 있는 척하죠. 하지만 전 형상화된 열쇠를 잡을 수 있어요."

이도원은 그때의 상황을 떠올리며 속으로 대사를 쳤다. 그리고 열쇠를 주웠다. 그의 손은 보이지 않는 열쇠를 잡고 있듯이

구부러져 있었다. 그 모습을 가만히 바라보던 차수희가 말했다.

"이걸 읽고 떠오르는 연기를 해볼래요?"

그녀는 책장에서 소설 한 권을 꺼내 자신이 가장 슬프게 읽었던 부분을 펼쳐주었다.

작품은 〈마지막 잎새〉였다.

소설은 희곡과는 달리 일일이 상황과 장소가 설명되어 있어서 이해가 쉬웠다. 따라서 희곡을 봤을 때와 달리 그 부분만 보고도 머릿속으로 등장인물들의 감정이 쏟아져 들어왔다. 그걸 표현하는 건 이도원의 몫이었다.

"한번 해볼게요."

그는 눈을 지그시 감고 있다가 번쩍 떴다. 그러자 눈앞에 병상에 누워 있는 소심한 소년이 보이는 듯했다.

이도원은 소년에게 말해주었다.

"베먼 씨가 오늘 병원에서 폐렴으로 세상을 떠났대."

음성에는 짙은 슬픔이 배어 있었다.

그가 말하는 노인은 비바람이 몰아치는 가운데서도 흔들리지 않을 잎새를 그렸다. 생애 마지막 걸작으로 희망을 선택한 것이다.

"그저께 아침에 관리인이 찾아갔다가 아파하고 있는 베먼 씨를 발견했나 봐. 구두도 옷도 비에 흠뻑 젖어 있었고, 이마는 불덩이처럼 뜨거웠대. 곁에는 비에 젖은 손전등과 붓 두세 자루, 녹색과 노란색 물감을 푼 팔레트가 놓여 있었대."

이도원은 난데없이 창문가로 가더니, 비바람에도 떨어지지 않고 있는 외로운 잎새를 바라보는 듯 쓸쓸한 표정을 지었다. 그리고는 물기에 젖은 목소리로 누워있는 소년에게 말했다.

"저 마지막 잎새 말이야. 바람에도 떨어지지 않는 게 이상하지 않니? 저 잎새는 베먼 씨의 걸작이었어. 마지막 잎새가 떨어지던 날 밤, 떨어진 잎새 대신 그 노인이 그려놓은 게 바로 저 잎새였던 거야."

진료실을 나직이 울리는 목소리가 현실과 소설의 구분선을 허물었다. 한마디, 한마디를 들을수록 차수희는 소설 속으로 걸어 들어갔다. 그리고 이도원의 연기를 통해 상상 속에만 머물렀던 광경을 직접 마주할 수 있었다. 연기가 모두 끝났을 땐 그녀의 두 볼을 타고 눈물이 흘렀다.

반면 이도원은 언제 그랬냐는 듯 차분한 목소리로 말했다.

"울고 계시네요."

오히려 정신을 놓고 있던 차수희가 화들짝 깼다.

"아! 이런……."

그녀는 격동하는 마음을 얼른 수습했다. 그런데도 눈물이 멈추질 않았다.

이도원이 단번에 대사를 모두 외운 것도, 따로 준비 없이 한 연기라는 것을 잊어버릴 만큼 완벽한 연기를 펼친 것도 상식을 뛰어넘은 일임에는 틀림없었다.

"저기, 이건 정신적인 문제 같진 않아요. 좀 더 지켜봐야겠지만, 그냥 타고난 재능 같다는 거죠."

이도원은 내심 고개를 저었다.

'내가 원래 없던 재능이니까 온 거 아닙니까.'

나직이 한숨을 쉰 그가 물었다.

"지금은 괜찮은데 앞으로 자칫 문제가 생길까 봐 그래요."

"음……."

차수희 역시 괜찮을 거라고 장담하지 못했다.

많은 감각파 배우들이 연기에 너무 몰입한 나머지 정체성을 잃고 폐인이 되거나, 심하면 자살을 선택하는 실례가 있었던 것이다.

이도원이 이곳에 온 의도를 파악한 차수희가 대안을 내놨다.

"어차피 진료는 무료니까 매 달 한 번씩 들를래요? 저도 사례들을 검토해 보면서 정기적으로 체크해 줄게요."

"그럼 감사하죠."

이도원은 일단 이 현상에 대한 생각을 접기로 했다. 의사도 모르는 일을 자신이 고민하고 파헤쳐 봐야 소용없는 것이다.

'내가 할 수 있는 게 없다면 받아들이고 단념한다.'

진료를 보면서 전문가의 견해를 들었더니 확실히 속이 시원했다. 심란했던 마음도 어느 정도 안정을 찾았다. 중요한 것은 이 현상이 복을 가져오든 화를 가져오든, 당장은 도움이 된다는 사실이었다.

'어차피 이게 아니었으면 독백 대회도 망쳤겠지.'

이도원은 이상백을 보게 된 순간을 떠올렸다. 감정이 주체되지 않아 아찔했던 순간이었다. 그는 차수희에게 인사를 하고 병원을 나왔다.

이도원은 불쑥 핸드폰 녹음본이 떠올랐다. 본선 때까진 연극부에서 그가 가진 무기를 알면 안 된다. 또 무슨 수작을 부릴지 모르기 때문이다. 따라서 본선에 출전해 우승을 거머쥔 뒤 연극부를 해체시키는 것이 먼저였다.

'그럼 분명 반발할 거야.'

계획에 차질이 없다면 녹음본을 무기로 그들을 포섭한다. 비록 선배들이었지만 잘만 되면 졸업할 때까지 부려먹을 대로 부려먹을 수 있을지 몰랐다. 타임 슬립하기 전 이도원과, 그를 괴롭히고 부려먹었던 선배들의 상황이 뒤바뀌는 것이다. 상상만 해도 즐거운 일이었다.

이도원은 본격적으로 〈리처드 3세〉 연기 연습에 돌입했다. 발목 부상으로 인해 체력 단련이나 스트레칭은 무리였지만 발음 발성 호흡 훈련은 하루도 빼지 않고 진행했다.

대사 암기나 인물 분석을 따로 하지 않아도 머릿속에 선명하게 떠올랐기 때문에 한결 편했다. 얼마나 정확하게 떠오르는지 인물들을 색깔로 표현할 수도 있고, 각각의 감정을 바로바로 끌어 올릴 수도 있었다. 겪으면 겪을수록 참 괴상하고 우월한 능력이었다.

'여기 기술적인 부분을 덧입히면 되겠어.'

이도원은 꽤나 만족스러웠다.

물론 완벽한 능력은 아니었다. 소설 속 인물들이 빙의되는 것은 아니기 때문에 이도원이 작품을 허투루 읽거나 발상을 잘못하면 영락없이 연기를 망칠 수 있었다. 작품을 제대로 읽었을 때 머릿속으로 쏟아지는 인물의 감정선을 어떻게 표현할지 오로지 그의 발상에 달렸다는 뜻이다.

딱 정의하자면 타임 슬립 이후 몰입도와 집중력, 공감도가 폭발적으로 증가한 것이다.

〈리처드 3세〉에서 리처드 3세는 매우 뒤틀린 인물이다. 짐승에게도 자비심은 있는 법인데 리처드 3세는 그마저도 없는 완벽하게 추악한 인간이다. 그는 오만함으로 똘똘 뭉쳐 있으며 세 치 혀를 이용해 남을 속이고, 등에 칼을 꽂는다. 자신에게 방해되는 인물은 누구든 무참히 도륙한다. 자신이 악인인 걸 잘 알고 있으면서도 죄책감을 느끼기보다 자부심을 느낀다. 절름발이 꼽추에다 추남인 외모는 부모에게조차 미움밖에 받은 것이 없었던 리처드 3세의 내면을 잘 표현하고 있었다.

이도원은 책을 몇 번이나 덮었다. 새 삶에서 받은 재능으로 인해 비극을 초래할까 덜컥 겁이 났다. 신 내림을 받기 전 무녀의 느낌이 이럴 것이다.

'발목을 다치는 바람에, 하필이면 이런 작품을 해야 된다니.'

만약 감정에 너무 몰입한 나머지 리처드 3세와 자아의 혼란을 느낀다면, 아마 〈배트맨 다크나이트〉에서 절대 악인 '조커'를 연기했던 히스 레저처럼 죽음을 택할지도 몰랐다.

"극도의 우울증을 앓게 될 수도 있겠지."

그럼에도 그는 조심스레 〈리처드 3세〉를 펼치고 읽어나갔다. 그러자 평소 같으면 이해는 해도 공감할 수 없었을 리처드 3세의 처참한 감정들이 쏟아져 들어왔다. 책장을 덮었을 때 이도원은 표정을 일그러뜨리고 있었다. 마음속에서 끝없는 오만함과 악의가 태풍처럼 휘몰아쳤다.

"후우."

이도원은 길게 심호흡을 했다. 집중력을 흩뜨리자 들끓던 감정도 씻은 듯이 사라졌다. 다행히 신에게 받은 재능이 저주는 아닌 듯싶었다.

어느 정도 안심이 된 이도원은 리처드 3세란 인물의 완성도를 높이기 위해 고민했다.

'추한 외모로 분장하고 감정이 담긴 대사를 뱉는다고 해도 완벽한 악인을 표현하긴 힘들다. 연기는 희곡을 뛰어넘어야 해.'

이도원은 글자로 된 희곡에서는 느낄 수 없는 입체적인 이미지를 전달하고 싶었다.

그는 리처드 3세의 목소리를 떠올렸다.

"보통 악인이라면 쇠를 긁는 목소리가 연상되겠지만……."

극 중 리처드 3세는 추한 외모에도 여심을 사로잡고 능수능란하게 사람들을 속인다. 그 점을 떠올려 보면 누구도 악인이라고 생각하지 못할 만큼 부드럽고 유려한 음성과 말투가 필요하다는 결론이 나온다.

'발성을 다듬을 필요가 있다. 극 중 리처드 3세는 더없이 추악한 인물이지만 그만의 마력으로 관객들을 사로잡아야 한다. 그래야 다른 인물들이 그에게 속고 휘둘리는 게 납득이 될 테니까. 리처드 3세 한 명만 연기가 미흡해도 극 전체의 설득력이 떨어지게 된다. 그만큼 고난도의 배역이야.'

이도원이 리처드 3세를 어떻게 연기해야 할지 고민하고 있을 때 초인종이 울렸다. 이어서 누나 이다원의 목소리가 집안을 가득 메웠다.

"엄마! 문 좀요!"

어머니가 문을 열어주자 손님이 호들갑을 떨며 인사를 했다. 이도원도 잘 알고 있는 목소리였다.

*　　　　*　　　　*

"어머, 어머니! 도원이 있나요?"

한창 바쁜 시간을 보내고 있는 이도원은 어머니가 없다고 해주길 바랐지만 헛된 바람일 뿐이었다.

"도원이 방에 있는데? 어서 들어와."

"넵!"

박서진은 냉큼 들어와 이도원의 방문을 두드렸다.

한편 이도원은 귀찮았지만 웃는 얼굴로 방문을 열었다. 그녀는 전복죽과 오렌지주스를 양손에 들고 있었다.

'선물?'

박서진은 미래에도 이도원의 친구였지만 당시에는 순수하고 싹싹한 이미지가 퇴색된 상태였다. 그녀를 볼 때마다 이도원은 세월이 사람을 변화시키는 힘을 가졌다는 걸 느꼈다.

'귀여운 구석이 있었네.'

서른일곱의 박서진을 기억하는 이도원으로서는 열일곱 살의 그녀가 하는 행동이 귀여웠다. 물론 그때나 지금이나 이성적인 관심은 전혀 없었지만.

"안 어울리게 뭘 이런 걸 다."

"너 먹으라고 가져온 게 아니고, 어머님 드리려고 가져온 거거든? 그리고 말 좀 예쁘게 하면 어디가 덧나?"

박서진은 눈을 흘기면서도 방 구경에 몰두하기 시작했다. 뒷짐을 지고 구석구석 훑어보는 그녀에게 이도원이 말했다.

"이리 와서 앉기나 해."

그는 개인적인 부분에 대해 노출하길 꺼려하는 성격이었다. 약간의 결벽증도 한몫했다.

그때 어머니가 손질한 과일을 들고 들어왔다.

"어릴 때 이후 처음이지? 오랜만에 왔는데 재밌게 놀다 가렴."

"네, 어머님!"

박서진이 활기차게 대답했다.

어머니가 방문을 닫고 나가자 이도원이 물었다.

"그런데 어쩐 일로?"

"당연히 병문안이지! 다리는 괜찮아?"

"그냥 뭐. 다친 건 어떻게 알고?"

"같은 반 아니라고 내가 너 결석한 걸 모를까 봐? 매점 갔다가 언니한테 들었어. 어떻게 이런 중요한 일을 언니한테 듣게 만드니?"

"지금 누나 있는데. 거기 가서 놀아라."

이도원이 과일을 한입 베어 물며 얄밉게 말하자 박서진은 눈살을 찌푸렸다. 하지만 그녀는 나무라지 않고 빤히 보더니 진지한 목소리로 물었다.

"너 대회에서 다친 거 아니지? 연극부 선배들이 네가 결석하자마자 독백 대회에서 탈락할 거라고 말하고 다니더라. 다친 줄은 어떻게 알고."

"내가 탈락한다고? 잘못 짚었네. 난 우승할 테니까. 연극부는 해체될 거고."

"뭐?"

박서진이 놀라서 물었다.

"그 몸으로 대회에 나간다고?"

"예선 통과 문자만 받으면 당연히."

이도원은 아무렇지 않은 듯 대답했다.

그녀가 단호한 표정으로 고개를 저었다.

"안 돼. 위험해. 대회는 그렇다 치고 선배들이 가만히 놔두겠어? 이미 한 번 그런 짓을 벌였는데!"

"나 걱정하는 거야?"

이도원이 얼굴을 바짝 들이밀며 묻자, 박서진의 두 볼이 불을 지핀 듯 빨개졌다. 그녀를 보며 이도원은 재미가 붙었다.

'골려먹는 맛이 쏠쏠하군. 날 좋아했었다니.'

물론 박서진이 천년만년 그를 짝사랑 한 것은 아니었다. 하지만 학창시절 이도원이 쫓아다녔다고 큰소리를 떵떵 치던 그녀의 실체를 밝히자 웃음이 나왔다.

"대답 못 하는 걸 보니 걱정하는 게 맞네."

"그, 그보다 우리 아빠한테 네 얘길 했어."

박서진이 말을 돌렸다. 하지만 남자는 평생 철이 안 든다고, 이도원의 장난기는 가실 줄 몰랐다.

"장인어른한테?"

"야!"

박서진이 소리를 빽 지르자 그는 두 손을 들어 보였다.

"알겠다, 알겠어. 장난 그만."

이도원을 쏘아보던 그녀가 말했다.

"우리 아빠 KAS 방송국 카메라감독인 건 알고 있지? 너 독백대회 나갔다고, 연기 잘하다고 했더니 단역 오디션 한번 봐보래! 요즘 인기 쩌는 〈만신전〉알지? 그 드라마야."

"내가 연기 잘한다고? 누가 그래?"

이도원이 묻자 박서진은 배시시 웃으며 대답했다.

"잘하겠지!"

'전혀 관심 없는데.'

호의는 고맙지만 그녀가 한 행동은 이도원에게 골치 아픈 일이었다. 단역이라고 해봐야 대사 한두 줄, TV에 잠깐 나오는 수준인데 굳이 치열한 오디션 경쟁을 뚫고 나가고 싶은 생각이 없었다.

방송 쪽에 뜻이 있는 친구들이라면 해봄직 했지만 이도원은 아직 영화, 드라마, 무대 중 진로를 결정하기가 조심스러웠다. 새로 주어진 삶이라서 더욱 신중했다. 그렇다고 친구 아버지가 배려해 준 기회를 마냥 거절할 수도 없었다. 그는 심드렁하게 물었다.

"날짜는? 대회 일정이랑 겹치면 안 되는데. 다리도 웬만큼 나아야 하고."

"5월 23일! 날짜랑 장소는 따로 캐스팅 디렉터가 연락해 줄 거야. 그러니까 대회는 포기하고 오디션 보자."

이도원은 박서진의 말을 단번에 이해했다.

방송국에서는 때때로 조단역, 보조 출연 섭외를 외주 캐스팅 디렉터(Casting director)에게 맡기고는 한다. 귀찮은 섭외를 프로듀서(PD)대신 해주는 정도로 국내에서는 생소한 직업이었지만, 외국에서는 꽤 많은 작품이 이 캐스팅 디렉터를 끼고 진행된다.

앞으로 두 달 뒤인 5월 23일이면 다리도 완쾌됐을 테고 독백대회 본선과도 겹치지 않는다.

잠깐 고민하던 이도원이 대답했다.

"대회에서 우승하고 기분 좋게 오디션 붙으면 되겠네."

"야! 이도원!"

"왜?"

"어머님한테 얘기할 거야. 연극부 선배들 짓이라고."

박서진의 말에 이도원은 주머니에서 휴대폰을 꺼냈다.

"지금부터 듣는 건 너랑 나만의 비밀로 하자."

그를 좋아하는 박서진에게 둘만의 비밀이 있다는 건 어느 정도 통하는 수법일 것이다. 이내 녹음기에서 한태양의 목소리가 흘러나왔다. 연극부와 관련된 내용들도 빠짐없이 녹음되어 있었다.

박서진은 대번에 놀란 얼굴이 됐다.

"너, 설마……."

"연극부 선배들 짓이라고 고자질을 해봐야 일만 커지고 정작 보복이나 안 당하면 다행이다. 누군가를 고발하려면 빠져나갈 구멍이 없게 준비를 철저히 해야지."

"너 대박이다."

과연 먹혔다.

'역시 애는 애야.'

어릴 때는 대부분 모험적이고 흥미로운 화제를 쫓게 마련이다. 따라서 영화나 드라마에서나 보던 스릴러 느낌의 사건을 던져 주면 흥분할 수밖에 없다. 그건 박서진도 다르지 않았다.

"그럼 어쩌려고?"

"독백 대회 끝나는 대로 연극부 해체시키고 나 때린 새끼 고소해야지. 녹음 날짜랑 진단서상 날짜도 일치하니까, 합의금을 받든지 소년원을 보내든지 그건 나중에 생각할 문제고."

"독백 대회에서 떨어질 수도 있잖아?"

그녀의 물음에 이도원은 피식 웃었다. 물론 그럴 수도 있다. 하지만 그건 그의 소관이 아니었다.

"떨어지면 할 수 없지, 뭐."

"부디 떨어지길 바랍니다."

박서진은 이도원이 다친 몸을 이끌고 본선에 나가는 게 적잖이 신경 쓰였다. 괜한 짓을 했다가 보복을 당하진 않을까 그것도 걱정됐다. 동시에 그를 말릴 수 없을 거라는 걸 깨달았다.

'눈빛이 예전과 달라졌어. 날 대하는 성격도, 말투도, 행동도.'

이도원의 성격 자체가 친구를 많이 사귀지도 않고, 지금도 학교에서 친구들과 자주 어울리지 않기 때문에 다른 아이들은 느끼지 못할 수 있다. 하지만 유일하게 가깝게 지내던 박서진이 이런 변화를 모를 리 없었다.

그녀가 모르는 척 이도원을 대하는 이유는 따로 있었다. 지금도 싫지 않은데다 괜히 티를 내면 그가 어딘가로 사라져 버릴 것 같은 불길한 예감이 들기 때문이었다.

'내가 물어보면 절교하자고 할 것 같아.'

나이가 어려도 여자의 직감이란 무섭다.

한편 이도원은 더 무서운 생각을 하고 있었다.

'지금처럼 모른 척해. 그래야 지금처럼 지낼 수 있다.'

만약 박서진이 이 부분에 대해 파고들면 그는 거리를 둘 생각이었다.

이도원은 열일곱 살이지만 정신연령은 서른일곱이었다. 그쯤 되면 친구보단 나 자신과 가족을 챙기게 마련이다. 그는 누군가에 의해서 새 삶이 흔들리고 싶지 않았다.

＊　　　　＊　　　　＊

한국예술대학교 청소년독백 연기경연 대회

대회예선 89번 참가자 이도원 군의 합격을 축하드립니다! 다음 본선은 4월 25일 토요일 오후 4시입니다.

참가번호 : 20번

장소 : 한국예술대학교 내 이말수 예술극장

이도원은 합격 문자를 받고도 덤덤한 표정이었다.

그는 휴대폰 화면을 끄고 하던 연습을 계속하려 했다. 그때 전화벨이 울렸다. 모르는 번호였다.

"여보세요?"

―이도원 학생 휴대폰이죠?

"그런데, 누구시죠?"

―아, 나는 드라마 〈만신전〉을 담당하고 있는 캐스팅 디렉터
정윤복 대리라고 하는데.

정윤복은 이도원이란 것을 확인하자마자 대뜸 반말을 했다.
두세 번의 방송 경험이 있는 학생들이라면 이런 고자세를 보고
도 그러려니 했겠지만 이도원은 타임 슬립 전, 그리고 사고로
목소리를 잃기 전 섭외가 줄을 서던 배우였다. 그 역시 활동 초
반에는 이런 푸대접을 당연하게 여기고 일했지만 과거로 돌아
온 지금은 탐탁찮았다.

저절로 목소리가 까칠하게 나왔다.

"지금 통화가 곤란해서요. 시간이랑 장소만 말씀해 주시죠."

곱지 않은 말투가 들려오자 캐스팅 디렉터 정윤복은 잠시 말
을 잃었다.

보통 기회를 주서서 감사하다는 반응이 줄을 잇는데 이런 시
원찮은 대답이라니. 괘씸하다고 생각하면서도 카메라감독과
잘 아는 사이라고 하니 평소처럼 욕부터 싸지르고 볼 수는 없
었다.

마침내 고민하던 그가 말했다.

―5월 13일 수요일 오후 여섯 시 KAS 별관 1층으로 오면 되

고 늦지 마라. 주소는 문자로 보내줄게. 학교 공문 필요해?

정윤복은 랩 하듯이 빠르게 말했지만 이도원은 당황하지 않고 대답했다.

"네, 공문 보내주세요."

오디션을 보거나 방송 출연을 하게 될 땐 보통 방송국이나 캐스팅 회사 직인이 찍힌 공문을 학교로 보내게 된다. 하지만 공문을 접수할지 말지는 학교 측의 몫이라서 시험기간과 같은 때는 빠지기가 힘들었다.

정윤복은 다시 성격을 죽이며 말했다.

―오디션 쪽대본은 메일로 보내야 하니까 문자로 주소 보내. 앞으로 많이 남았으니까 연습 열심히 해서 와라.

"네. 고정으로 들어가는 건 아니죠?"

―그건 어떻게 될지 몰라. 넌 신경 쓸 필요 없다.

그는 쌀쌀맞게 대답했다.

고정 출연은 특정 장소나 상황에 계속 등장하기 때문에 단역이라도 연결 신이 생긴다. 남들은 이런 고정출연을 바라지만 이도원은 그 반대였다.

"알겠습니다."

그 대답을 듣기 무섭게 전화가 끊어졌다.

이도원은 휴대폰을 한쪽으로 치워놓고 대본 연습에 매진했다. 그는 〈리처드 3세〉를 완벽히 소화하기 위해 발성과 호흡, 작은 동선까지 고민하며 각고의 노력을 기울였다.

독백 대회 날 아침, 이도원은 인터넷 주문한 의상들을 큰 가방에 곱게 포개어 넣었다.

리처드 3세는 1400년대 중후반에 활동한 영국의 왕이다. 또한 그가 연기할 장면은 리처드 3세가 악몽을 꾸고 막 잠에서 깨어난 뒤의 모습이다. 따라서 이도원은 중세시대 잠옷으로 입던 튜닉(Tunic)을 구입한 것이다.

한쪽 다리를 절룩이며 거실로 나가자 어머니와 누나가 점심을 먹고 있었다.

"오올~ 머리는 산발을 하고서, 그러고 가게? 목발은?"

이다원의 태클에 이도원이 피식 웃었다.

"내가 연기할 장면이 자다 일어난 장면이거든. 다친 발도 걸을 수 있을 정도고."

"꼭 실력 없는 애들이 소품으로 밀어붙이려고 한다더라."

이다원은 이도원이 연습하는 과정에서 소음에 종종 시달렸기 때문에 심사가 단단히 꼬여 있었다. 중간고사를 앞두고 적잖이 방해가 됐던 것이다.

이도원도 잘 알고 있는 사실이라 구태여 맞서지 않았다. 하지만 어머니는 그의 편을 들었다.

"얘는! 동생이 공연한다는데 응원은 못 해줄 망정! 다리가 다쳐도 잘생겼네, 아들."

"엄만 아들이 최고죠?"

이다원이 툴툴거리며 밥술을 떴다.

이도원은 미묘한 표정을 지었다. 20년 전의 가족들을 볼 때마다 마음이 뭉클해지는 건 어쩔 수 없는 감상이었다.

"아무튼, 저 다녀올게요. 누나도 응원해 줘."

가족들에게 인사한 그는 집밖으로 나섰다.

이도원은 택시를 타고 가는 동안에도 머릿속으로 이미지 트레이닝을 했다. 대사와 동선을 떠올리며 끊임없이 무대에 오를 준비를 했다.

예선에서 대부분이 탈락하고 본선 진출자는 딱 스무 명이었다. 거품이 빠졌으니 분명 한 명, 한 명 만만찮은 상대들만 남았을 터였다. 따라서 심사위원들도 전보다 까다롭게 점수를 매길 것이다.

'리처드는 악몽에서 깨어나 횡설수설한다. 그리고 점차 자신을 비웃기에 이른다. 그건 후회의 감정이 아니다. 속죄의 감정도 아니다. 남들을 해치고 비웃듯이 그 자신을 보면서도 악랄하게 냉소하는 것이다.'

이도원은 관객들의 기분을 섬뜩하게 만들 각오였다. 강렬하게 그들의 시선을 빨아먹고 무대를 집어삼켜야 한다. 그것이 그가 연기할 리처드 3세였다.

한예대에 도착한 이도원은 곧장 이말수 예술극장으로 갔다. 길가마다 〈독백 대회 대회장〉 화살표가 붙어 있기도 했지만,

한 번 왔던 곳이라 길이 눈에 익었다. 극장 안의 풍경은 전과 다름없었다. 다만 지난번에는 백 명이 넘는 인원으로 객석이 바글바글 했던 반면 이번에는 딱 스무 명만 초대되었다는 점이 달랐다. 그리고 스무 명 모두 인상적인 연기를 펼쳤던 얼굴이었다.

이도원이 앉자 옆자리의 여학생이 말을 붙였다.

"저번에 이상백 교수님이 질문했던 분 맞죠?"

"네."

이도원이 짤막하게 대답했다.

그녀는 의기양양한 표정으로 반대편 자리의 친구에게 자신이 맞췄다고 자랑하더니 그에게 재차 물어왔다.

"연기 엄청 잘하던데. 몇 살이에요?"

"열일곱 살이요."

"어! 나돈데!"

여학생은 신기하다는 듯 반가워했다. 생존자 대부분이 입시생인 열아홉 살이었기 때문이다.

"이름이 이도원이었나? 그랬죠? 전 박아현이에요."

그녀는 기억력이 아주 좋거나 오지랖이 넓은 성격이 틀림없었다. 확신한 이도원이 고개를 끄덕였다.

"말이 원래 그렇게 없나? 그리고 절뚝거리던데 다리는 왜 그래요?"

"남이사, 연습이나 하시죠."

이도원의 말은 진심이었다. 대부분 학생이 열띤 얼굴로 대본에 코를 박고 있는데 떠드는 건 예의가 아니었다.

반면 일침을 듣고도 박아현은 무사태평이었다. 지난번 이도원 다음으로 심사위원들에게 연기를 오래 보여주었다는 자신감이 한몫했다.

"되게 딱딱하네. 보나마나 우리가 1등, 2등이었을 것 같은데 좀 친해지자고요. 동갑인데 말 놔요!"

이도원은 심각하게 자리를 옮기고 싶어졌다. 대회가 얼른 시작했으면 하는 마음에 시계를 보았지만 아직 오 분 정도가 남아 있었다.

"싫어요."

단호한 대답에 여학생이 미간을 찌푸렸다.

"어이없어. 저렇게 띠껍게 굴다가 꼭 떨어지지."

이도원은 그녀에게 신경을 끄고 이어폰을 꽂으며 프린트해 온 독백 대사를 보았다. 괜히 시간을 낭비한 것이다. 이제 막 연습을 시작하려 할 때 사회자인 고명진이 무대로 나왔다. 그러자 옆자리의 시끄러운 여학생이 감탄했다.

"완전 잘생겼어!"

여자아이들 대부분이 저마다 한마디씩 하며 아우성이었다. 그리고 마침내 고명진이 입을 열었다.

"다시 보게 돼서 반갑습니다. 다들 아시겠지만 전 청소년독백 연기경연 대회 사회를 맡은 한국예술대학교 학회장 고명진입니다. 본선도 예선과 똑같이 각자의 기량을 펼쳐 주시면 됩니다. 수상자에게는 따로 연락이 갈 거고요. 수상 여부에 따라 입시 때 가산점도 걸려있으니 다들 좋은 연기 보여주시기 바랍니다."

그가 무대 뒤로 사라지자 객석 불이 꺼지고 한줄기 밝은 빛이 무대를 비췄다. 그리고 문자로 받은 새 번호순대로 한 사람씩 호명될 때마다 신발을 벗고 무대 위로 올라갔다.

'한 명도 만만한 상대가 없군.'

이도원은 속으로 감탄했다.

타임 슬립 전 연기 경력 십 년 이상의 프로였을 땐 입시생들의 연기를 보며 어설프다고 느꼈었다. 하지만 연기 훈련을 시작한 지 일 년도 되지 않은 지금은 그들의 탄탄한 연기가 거대한 산처럼 느껴졌다.

참가자들이 한 명씩 훌륭한 연기를 선보이고 마침내 19번인 박아현의 순서가 왔다.

한편 이도원은 이어폰을 통해 자신이 녹음해두었던 독백을 다시 들으며 체크하던 것을 멈췄다.

다른 참가자들의 무대는 이어폰 너머로 들었지만 박아현의 무대만은 생생하게 관람하고 싶었다. 그녀의 교만한 성격은 마음에 들지 않았지만 연기력만은 인정해야 했다.

*　　　　*　　　　*

박아현은 장난기가 씻은 듯 사라진 얼굴로 겉옷을 벗고 나와 심사위원에게 인사를 했다. 그녀는 고결해 보이는 흰 투피스를 입고 있었다.

"19번 참가자 박아현입니다."

"시작해 보세요."

심사위원의 말에 박아현이 십 초 정도 틈을 두더니 입을 열었다.

"나 늦지 않았죠. 정말 다행이에요. 하루 종일 불안했어요, 너무나 무서웠어요!"

밀도 높은 발성이 뒷받침된 대사가 흘러나왔다. 그녀는 팔을 감싸며 흔들리는 표정을 지었다. 불안한 떨림과 묘한 흥분이 객석까지 전해졌다.

'재능은 타고났군.'

이도원은 절로 감탄했다.

몸동작과 잘 어우러져 꾀꼬리처럼 울려 퍼지는 음성을 듣고 있자니 소름이 우수수 돋았다. 이내 그녀가 애절한 표정으로 대사를 이어나갔다.

"아버지가 조금 전에 계모와 함께 나가셨어요. 하늘이 빨개지고 곧 달이 뜰 것 같더군요. 그래서 난 있는 힘을 다해서 말을 채찍질했어요. 하지만 기뻐요. 서둘러야 해요. 제가 여기 온 걸 아버지는 모르셔요. 아버지와 새어머니는 나를 여기 오지 못하게 해요. 보헤미안의 소굴이라고. 내가 여배우라도 될까 봐 걱정인 거예요."

박아현이 선택한 독백은 안톤 체홉의 다른 작품 〈갈매기〉의 '니나'였다. 니나는 갈매기에서 주인공 뜨레쁠레프의 사랑을 받는 역할이지만, 작가인 뜨리고린을 사랑한다. 그녀는 부유한 지주의 딸로서 철없는 성격의 젊은 처녀다. 그리고 극 내내 뜨레쁠레프를 들었다 놨다. 말하자면 어장관리를 한 것이다. 다음은 뜨리고린을 만나기 전, 뜨레쁠레프에게 니나가 고백하는 장면이었다.

"하지만 난 이곳의 호수에 마음이 끌려요. 갈매기처럼 내 가슴속은 당신 생각으로 가득 차 있어요. 지금 전 무척 흥분돼요, 당신 어머닌 아무렇지도 않아요. 두려울 것이 없어요. 하지만 뜨리고린 씨가 계시죠. 그분 앞에서 연극을 하는 건 두려워요. 부끄럽기도 하고, 유명한 작가니까요. 젊은 분인가요? 그분의 소설, 정말 멋있어요!"

박아현의 눈이 몽롱하게 젖었다. 뜨레고린을 동경하는 마음이 고스란히 전해졌다. 그녀는 고개를 들어 뜨리고린를 상상하던 것을 멈추고 한숨을 내쉬었다. 그리고 안타깝게 말했다.

"당신의 희곡은 연기하기가 힘들어요. 살아 있는 인간이 없는걸요. 당신의 희곡은 움직임이 적고, 단지 읽는 것뿐인걸요. 희곡이란 것에는 역시 연애가 있어야 된다고 생각해요."

그 모습을 보고 있던 이도원은 고개를 절레절레 저었다. 그녀의 연기를 보고 있자니 무대로 뛰어올라가 뜨레쁠레프가 되고 싶을 정도였다. 박아현의 연기는 그만큼 처연했고, 그만큼 욕망을 자극했다. 만약 이도원이 연기를 배우지 않은 관객이었더라도 완전히 몰입할 수밖에 없었을 것이다.

'완전히 감각적인 스타일이야.'

제멋대로인 성격도, 타고난 감정으로 연기를 펼치는 모습도 그랬다. 자신의 재능을 믿고 자만하는 모습까지, 그녀는 감각적인 배우들이 범하는 실수를 그대로 밟고 있었다. 만약 그런 단점을 극복할 수 있다면 박아현은 훌륭한 배우로 거듭날 터였다.

이도원은 그게 쉽지 않다는 걸 알고 있었다.

'사람 성격 바꾸는 것처럼 힘든 일도 없지.'

연기가 끝나자 그녀는 긴장한 표정으로 심사위원의 말을 기다리고 있었다. 심사위원 대부분이 감탄하며 보았지만 이상백만은 날카롭게 지적했다.

"연기는 좋았지만… 통속적이군. 그저 그런, 일반적인 인물 해석이야. 니나에 대해 고심하고, 니나란 인물을 잘 살려서 관객들을 사로잡지 못했다는 뜻이다. 정제된 배우가 아니라 감정이 풍부한 일반인을 본 느낌이랄까? 물론 재능이 있다면 노력하지 않아도 된다. 그건 배우의 선택이지만, 그게 관객에게 드러나면 안 되는 법이지. 그런 의미에서 넌 감정에만 의지하는 게으른 배우다. 그만 내려가."

박아현의 자존심을 난도질하는 혹평이었다. 그녀는 울음을 터뜨리며 무대에서 내려갔다.

"다음."

이상백이 차갑게 불렀다. 하지만 얼음장 같은 목소리 속에 피어나는 불씨마저 숨길 수는 없었다. 그 불씨의 정체는 기대 감이었다.

이도원은 무대 뒤에서 신발을 벗고 의상을 갈아입었다. 그런 뒤 천천히 무대 위로 올라갔다. 중세시대의 잠옷 바람으로 광인(狂人)과 같이 머리를 헝클어뜨리고, 가면을 쓰고 발을 절룩거리며 등장하자 이상백은 단번에 그가 준비한 인물을 간파했다.

"리처드 3세."

제법 큰 목소리였고 무대까지 들려서, 이도원은 내심 놀랐다.

'작은 특징들만 보고도 단번에 알아보다니.'

심지어 모든 특징이 같지도 않았다. 눈 아래까지 오는 〈양들의 침묵〉의 살인마 '한니발 렉터' 가면은 리처드 3세를 표현하기 위해 그가 창안한 소품이었다. 어설픈 분장보다 아예 상징적인 가면으로 대체하는 쪽이 설득력 있다는 판단 하에 독창적으로 결정한 부분이었다.

오직 이상백만이 이 모든 것을 간파한 듯 덤덤한 표정을 짓고 있었다. 타임 슬립 전에도 그가 범상치 않은 인물이었을 거라는 추측은 했지만, 짐작했던 것보다 훨씬 유능한 인물이란 걸 알 수 있었다.

'감독이었다는 건 알고 있었지만, 왜 저런 사람이 흥행작 한 편 없이 영화판에서 사라졌던 거지?'

이 자리에 이도원의 의문을 해소해 줄 수 있는 사람은 없었다. 아직 이상백조차도 겪지 못한 미래의 일이었으니까.

사회자가 대신 그를 소개했다.

"20번 참가자 이도원 군입니다."

그 말에 따라 우아하게 인사한 이도원이 정면의 허공을 바라보았다. 곧이어 이상백이 말했다.

"시작하게."

신호가 떨어지자 호흡을 가지런히 정리한 이도원이 한 발자국 앞으로 나서며 눈을 감았다. 그리고 양팔을 활짝 펼치고 폭풍과도 같은 대사를 줄줄이 뱉었다.

"다른 말을 다오! 내 상처를 묶어다오! 하느님 제발."

객석을 직선으로 가로지르며 곧게 뻗어나가던 음성이 뚝 끊겼다. 그리고 이도원이 눈을 번쩍 떴다.

그의 호흡이 거칠지만 낮게 가라앉았다.

"아니, 꿈이었군."

이도원은 하늘을 보며 물었다.

"아, 겁 많은 양심아. 왜 이렇게까지 날 괴롭히느냐! 등불이 파랗게 타고 있구나. 지금은 한밤중이지. 공포에 떠는 이 몸에 차가운 땀방울이 맺혀 있구나. 무엇이 무서워 이러지?"

그는 걸음을 옮기며 자신의 가슴을 두드렸다.

"나 자신인가? 나밖엔 아무도 없잖은가. 리처드는 리처드를 사랑한다. 그러니 곧 나는 나란 말이다. 아니, 자객이라도 들었단 말인가?"

이도원은 두리번거리며 코웃음을 쳤다.

"천만에. 아냐, 내가 그 살인자야. 그럼 도망쳐야지. 글쎄. 내게서? 왜 도망쳐야 하지? 내 복수가 무서워서인가? 뭐, 내가 내게 복수를? 안 되지, 안 돼. 난 나 자신을 사랑한단 말이다."

그는 털썩 주저앉으며, 오만하게 퍼붓던 냉소를 거두고 절망을 끌어냈다.

이도원은 혼란스러운 얼굴로 자문했다.

"그건 또 왜지? 내가 나 자신에게 잘해준 것이 있던가? 아이고, 난 날 미워해. 난 증오할 죄악을 저질렀어! 난 악당이야."

오락가락하는 그의 광기를 보며 객석이 숨죽였다.

이도원은 고개를 숙이고 떨리는 숨을 뱉어내더니, 한 명의 광인처럼 웃음을 터뜨렸다. 갑자기 터져 나온 쩌렁쩌렁한 웃음소리에 관객들이 공포를 느꼈다. 그들의 두려움을 비웃듯, 이도원은 사이코패스처럼 무미건조하게 중얼거렸다.

"에이, 바보 같으니, 누가 자기 자신을 헐뜯는담. 누워서 침 뱉기지."

심사위원석에서 감탄이 터져 나왔다. 누가 탄성을 내뱉었는지 모를 만큼 여러 목소리가 뒤섞여 있었다.

그때 이상백이 리처드 3세의 감정을 따라가며 중얼거렸다.

"이제 절정으로 간다."

그 말처럼 이도원은 분노가 들어찬 표정으로 돌변했다.

"내 양심은 천 개의 혀를 갖고 있어. 그런데 그 혓바닥이 나에게 악당, 악당 하고 욕을 한단 말이다. 위증자, 세상에 둘도 없는 위증자, 살인자, 극악무도한 살인자! 이것저것 많은 죄가 대소를 가리지 않고 한꺼번에 법정에 밀어닥치고 유죄, 유죄하고 외쳐 댄단 말이다."

공기를 불태우는 매서운 분노가 고조되기 시작했다. 객석의 모두가 마른침을 꿀꺽 삼켰다. 이도원은 시뻘건 눈길로 객석을 집어삼킬 듯 노려봤다. 그는 손으로 플라스틱 가면을 우그러뜨리며 증오를 뱉었다.

"난 이제 절망이다. 내 편을 드는 놈은 하나도 없다. 내가 죽어도 동정해 줄 놈도 없지. 그렇다. 날 동정할 리가 없다. 나부터 나 자신에 정나미가 떨어졌는데. 그런데 내가 죽인 망령들이 이 군막에 왔었지. 모두 내일 이 리처드의 머리에 복수가 내린다고 협박하고 있었겠다!"

불안한 광기가 촛불처럼 넘실거렸다. 누구라도 이 순간의 이도원을 본다면 막다른 길을 향해 시속 200킬로미터로 질주하는 차 안에 있는 것 같은 느낌을 받을 것이다.

자연히 그를 보던 관객들의 숨이 턱까지 차올랐다. 하지만 독백은 더 이어지지 않았다. 리처드 3세의 독백은 여기까지인 것이다.

짝, 짝, 짝…….

극장 안으로 박수 소리가 울려 퍼졌다. 가장 깐깐한 심사위원인 이상백이 자리에서 일어나 박수를 치고 있는 것이다. 그러자 극에 몰두해 있던 다른 심사위원들도 하나둘 깨어나며 덩달아 박수를 치기 시작했다. 쏟아지는 박수갈채에, 객석에 앉아 있는 참가자들이 가세했다.

한편 이도원은 다리가 풀려 일어나기가 힘들었다. 삼 분간의 독백이었지만 두 시간의 무성극을 했을 때보다 많은 에너지를 소진했다.

'난 이도원이다.'

그는 자각하고 나서야 리처드 3세가 품었던 감정의 여운이 잦아들었다. 한편 무대 뒤에서 음성만 들었던 고명진이 감동한 목소리로 말했다.

"20번 참가자 이도원 학생은 꼭 우리 학교에서 보길 바랍니다."

기립 박수를 보냈던 이상백 역시 감탄을 아끼지 않았다.

"지난번 발성에 대해 일침을 가했었는데 훌륭하게 극복했군. 뿐만 아니라 〈양들의 침묵〉에서 희대의 살인마인 '한니발 렉터'의 가면을 쓴 기지가 돋보였다. 호흡이나 연기는 더할 나위 없이 좋았고. 연극이든 영화든 언젠가 기회가 된다면 같이 작업해 보고 싶군. 끝나고 내 명함을 받아 가게."

이제까지의 혹평과는 다른 극찬이 나왔다. 하지만 이 자리의 누구도 토를 달지 못했다. 누가 봐도 독백 대회 본선의 주인공은 이도원이었고, 우승자 역시 이도원이었으니까.

*   *   *

무대가 끝나고 이도원은 떨리는 마음으로 이상백이 머무는 교수실로 갔다. 그가 있는 연기과 건물은 극장과 가까운 건물에 위치해 있어 찾기 쉬웠다.

교수실 문 앞에 서서 노크를 하자 안으로부터 젊은 남자의 음성이 들려왔다.

"들어오세요."

그곳에는 학과장 이상백과 학회장 고명진이 마주 보고 대화를 나누고 있었다. 젊은 목소리의 정체는 고명진이었던 것이다.

"연기 잘 봤습니다, 이도원 참가자! 그리고 교수님. 그럼 전 이만 가보겠습니다. 두 분 오붓한 시간 보내세요."

이상백이 고개를 끄덕이자 고명진은 이도원의 어깨를 두드리고 교수실을 나갔다.

"앉지."

그 말에 이도원은 이상백 맞은편에 앉았다. 그는 타임 슬립 전 각별한 사이였던 이상백과 재회를 하게 되니 가슴이 두근거렸다.

"네 연기는 인상적으로 봤다. 어린 나이에 대단하더구나."

"감사합니다. 과찬이세요."

"처음에는 널 오해했다. 대부분 뛰어난 재능을 가진 아이들은 자만하기 때문이지. 그렇게 주변에서 칭찬만 받고 별 어려움 없이 대학까지 진학을 하게 되면, 그 시절을 못 잊어서 발전 없이 우물 안 개구리가 되는 경우가 다반사니까. 그러다 보면 연기에 고집이 생긴다. 차라리 현장에서 구르면 대선배들에게 겸손을 배우고, 자신과 비슷하거나 자신보다 뛰어난 프로들을 보기 때문에 뻣뻣한 고집을 버리는 게 쉽지. 이쪽 세계는 연기력만으로 통하는 판은 아니야."

이도원은 그 말뜻을 알고 있었지만 가만히 경청하고 있었다. 오랜만에 이상백의 가르침을 받는 것도, 그에게 목소리를 내서 연기하는 모습을 보여준 것도 마냥 행복한 것이다. 반면 이도원과 초면이라고 생각하고 있는 이상백은 말을 이었다.

"무대와 스크린은 좀 다르다. 무대가 생방송이라면 스크린은 녹화방송인 셈이지. 생방은 이러나저러나 연기를 잘해야 하지만, 녹화는 시간만 있다면 편집도 하고 현장에서 다듬기도 하니까. 영화판은 연극배우들의 가세로 많이 바뀌었다지만, 방송에서 여전히 연기력보다 비주얼을 보는 것도 그러한 이유인 거고. 감독 입장에서 단도직입적으로 말하면 넌 두 가지 모두 갖춘, 찾기 힘든 배우다."

"그렇군요."

이제 이도원은 그의 목적이 슬슬 궁금해졌다. 이상백은 자신도 말이 길어졌다고 여겼는지 본론을 꺼냈다.

"넌 비주얼도 연기도 훌륭하니 활동하는 데에 어려움은 없을 거다. 하지만 대학교 진학을 선택한다면 꼭 우리 학교에 오라고 말하고 싶었다. 본교는 2학년 때까지 대외적인 활동이 금지되어 있어서 그 점은 감안해야겠지만."

이도원은 이상백이 이런저런 설명을 덧붙인 이유를 알 수 있었다. 그는 이도원을 탐내고 있는 것이다.

이도원 역시 한예대가 2학년 때까지 활동 금지라는 사실을 알고 있었기에 고민되는 부분이었다.

"아직 이 년 정도 남았으니 충분히 생각해 보겠습니다."

"알겠다. 그리고 이건 내 명함."

이상백은 이도원에게 명함을 넘겼다.

"연기적으로 막히는 부분이 있거나 진로에 대한 고민이 있거나 언제든 편하게 와도 된다."

데자뷔까진 아니더라도 왠지 모를 친근감을 느끼는지, 그 역시 꽤나 호의적이었다.

'하긴. 원래도 연기를 볼 때만 얼음장 같았지, 평소에는 지나칠 만큼 따뜻한 사람이었지만. 이런 점은 여전하군.'

이도원이 기억하는 이상백은 이중인격이라고 오해를 불러올 만큼 공과 사가 뚜렷한 사람이었다.

이도원은 깊은 감정의 소용돌이를 대신해 말했다.

"감사합니다, 교수님."

이상백을 만나고 나온 이도원은 기가 막혔다. 한예대 정문에서 뜻밖의 얼굴과 다시 마주친 것이다.

그곳에는 박아현이 기다리고 있었다. 눈물을 쏟으며 무대를 내려갔던 그녀의 두 눈은 퉁퉁 부어 있었다.

이도원이 물었다.

"무슨 일로?"

"이대로는 억울해서 그냥 못 가겠어."

박아현이 대뜸 말을 놓으며 휴대폰을 내밀었다.

"네 번호."

이도원의 입장에서는 돌발 행동의 연속일 뿐이었다.

"아니, 괜찮아."

거절한 그가 덧붙였다.

"어차피 이 바닥에 있으면 다시 볼 얼굴인데 그때까지 포기하지 말고 열심히 하고 있어라."

이도원은 박아현을 지나쳐 걸음을 옮기려 했다. 하지만 그녀가 다시 앞을 가로막았다.

"네가 그렇게 잘났어? 너한테 관심 있어서 물어보는 거 아니야. 네 연기에 관심이 있어서 물어보는 거거든?"

"그게 그거지."

"날 그렇게 짓밟아놓고 이 정도도 못 알려줘?"

"그건 네 착각이고."

이도원은 그녀의 연기력을 인정했지만 경쟁자로 생각하진 않았다. 결정적으로 그는 이성이든 친구든 박아현 같은 스타일은 별로였다. 이기적이라고 생각했기 때문이다. 그의 생각대로 박아현은 이기적인 성격이었고 쉽게 물러나지도 않았다.

"좋아, 그럼 내기해."

"무슨 내기?"

"연락 안 할 테니까 지금 번호 교환하고 대회 나갈 때 나한 테 알려줘. 다른 대회에서 다시 만나. 그땐 내가 널 이길 테니까! 내가 이기면 날 다신 무시하지 않기로 내기해."

이도원은 피식 웃었다. 딱히 그녀를 무시한 적은 없었지만 그런 도전이라면 얼마든 받아줄 의사가 있었다. 그는 박아현의 휴대폰에 번호를 찍은 뒤 돌려주며 말했다.

"그럼 열심히 해보라고."

집으로 돌아가는 길, 박아현에게서 수고했다는 문자가 왔지만 번호만 등록하고 답장하지 않았다. 그녀는 연락하지 않겠다면서 10분도 지키지 못하고 있었다. 물론 박아현이 보였던 승부욕은 거짓이 아닐 것이다. 하지만 그보단 인정할 수밖에 없는 연기를 선보인 이도원에게 관심이 생겼을 가능성이 높았다. 어쩌면 정말 단순하게 이도원의 외모를 보고 반했을지도 모른다. 이도원은 고개를 절레절레 저었다.

'애들이란… 역시 소녀감성이 풍부해.'

그는 다리를 절룩이는 게 불편해서 택시를 타고 집으로 갔다. 집에 도착해 보니 어머니는 일을 나가셨고, 누나 이다원은 머리띠를 졸라매고 공부 삼매경에 빠져있었다. 이도원과 같은 학교였으니 그 역시 무관한 일은 아니었다.

"동생이 왔는지 갔는지도 모르고 공부를 하다니, 아주 대성하겠어."

그는 어머니 말투를 따라 하며 이다원에게 말했다.

이다원은 미간을 찌푸리며 이도원을 나무랐다.

"너도 예체능 한다는 핑계로 공부 안 할 궁리만 하지 말고 공부 좀 해! 학교에서 연기 잘하면 중간고사 안 보게 해준다고 하디?"

그녀의 말은 틀린 구석이 없었다.

사실 이도원도 그 점이 불안했다. 얼마 전까지 서른일곱 살의 연기자로서 살아가던 자신이 중간고사 점수를 받으려면 아마 다 까먹은 중학교 교재부터 파야 할 터였다. 그래서 도저히 엄두가 나질 않았다.

"알아서 할게."

이도원은 휑하니 방으로 들어갔다.

그는 침대에 몸을 던진 채로 찜찜한 기분에 시달렸다. 홀가분하게 독백 대회를 끝냈더니 이제 중간고사가 말썽이었다. 그의 열일곱 살 때보다도 성적이 떨어질 것이 분명했다. 그렇다고 누군가에게 배움을 청하면 거의 백지화된 머릿속이 들킬 게 뻔했다. 그럼 괜한 의심을 사게 될 터였다.

'이도 저도 못하는구나. 이대로 시험을 망치는 수밖에 없을까?'

잠깐 상황을 가정해 떠올려 본 이도원은 고개를 저었다. 안 그래도 누나 이다원이 공부를 잘해서 비교가 되던 참이었다. 때문에 시험을 완전히 망쳐놓으면 그냥 넘어가는 게 불가능했다.

"평균 칠십……."

일기장에 적힌 중학생 때의 성적은 이도원에게 어떤 산보다 넘기 어려워 보였다. OMR카드를 밀려 썼다고 핑계라도 대려면 어느 정도 납득될 만큼의 점수를 받아야 하는 것이다.

"공부는 왜 그렇게 잘했었니."

자조적으로 중얼거린 이도원은 전략을 세웠다.

'일단 대회 우승도 했으니, 하는 데까지만 해보자.'

이도원이라고 어머니를 속이는 것이 마음 편할 리 없었다. 아예 타임 슬립을 한 걸 밝힐까도 생각해 보았지만 더 큰 걱정만 끼치게 될 것이 빤했다. 어쩌면 과대망상증으로 취급받아 연기를 못 하게 될 수도 있었다.

"절대 안 돼."

그야말로 끔찍한 생각이었다.

이제 그에게 남은 선택지는 시험기간 때까지 최선을 다해 공부를 해보는 일뿐이었다.

4장

인연의 연결고리

4월 하순에서 5월 초순의 1학년 1학기 중간고사는 금방 끝났다.

이도원은 평균 60점대의 성적으로 시험을 마쳤다. 중학생 때보다 10점가량 떨어진 셈이지만, 공부에 열을 올린 덕분에 이해력 위주의 문과 과목은 성적이 올랐다. 그는 다음 계획을 착착 실행에 옮겼다.

이도원은 경찰서로 찾아가서 한태양을 신고했다. 합의를 보는 경우가 아니라면 굳이 법정대리인을 대동할 의무는 없었다. 따라서 그는 녹음 파일이 들어 있는 USB와 진단서를 제출하고 돌아왔다.

"조만간 서에서 출석 요청이 갈 거야."

경찰의 말을 순순히 받아들인 그는 폭행과 폭행교사를 한 일당의 형량을 인터넷에 문의했다. 답변에는 이렇게 쓰여 있었다.

폭행한 당사자는 형법상 폭행치상죄나 상해죄가 적용되게 됩니다. 또한 그를 교사한 여러 명의 고등학생들도 교사범으로 같은 형량을 받게 됩니다. 7년 이하의 징역, 10년 이하의 자격정지 또는 1천만 원 이하의 벌금을 받게 됩니다.

보통 고등학생이라면 막연한 두려움에 법적인 조치를 꺼릴 수 있지만, 이도원은 얼마 전까지 서른일곱 살의 어른이었다. 주먹보다는 법이 익숙한 나이인 것이다.

'전치 2주가 나왔으니 나머지는 벌금으로 끝날 거고, 한태양이란 놈은 전과가 있으면 징역으로 몰아갈 수 있다.'

그는 그들을 용서할 마음이 조금도 없었다. 얼마 후 경찰서에서 연락이 왔다. 이도원은 두려움 없이 출석했다. 경찰서에서는 한태양이 사건에 연루된 연극부 학생들의 이름을 줄줄이 호명하고 있었다. 그는 이도원을 보더니 질색했다.

"너 이 새끼……."

아무리 날고 기는 양아치라도 형사 앞에선 꼬리 내린 강아지였다. 이도원은 씨익 웃으며 담당 형사에게 인사하고 옆에 앉았다. 때마침 녹음기에선 한태양의 목소리가 흘러나오고 있었다.

하여간 또 쓸데없는 짓 했다간 내 얼굴 다시 볼 일 있을 거다. 알겠지?

이도원은 그를 보며 말했다.

"네 말대로 다시 봤네."

"너도 자극하지 말고 빨리 마무리 짓자. 니들이 강간을 한 것도 아니고 살인을 한 것도 아니고, 인정할 건 인정하고 빨리 넘어가자고. 폭행교사한 학생들 명단은 모두 받아뒀으니 조사 끝나는 대로 보호자랑 같이 소환할 거야."

그러고 보니 한태양은 보호자가 없었다.

"이놈은요?"

이도원이 묻자 형사가 대답했다.

"걘 보호자가 없다. 합의 없이 이대로 끝나면 다시 소년원으로 가게 될 거야. 괜찮겠니?"

형사가 물었지만 그의 생각은 흔들리지 않았다.

"그대로 진행해 주세요. 사정이야 딱하지만, 그렇다고 지은 죄가 정당화되진 않으니까요."

"널 부른 건 검찰에 보낼 진술서가 필요하기 때문이다. 그 당시 상황을 작성해 주고 가면 돼."

이도원은 그 말에 따라 진술서를 작성하며 물었다.

"폭행을 교사한 나머지 학생들 명단도 드릴게요. 누군지 알고 있거든요. 저놈이 진술한 내용과 대조해 보시면 될 거예요."

"똘똘하구먼."

형사가 나직이 감탄했다.

이도원은 진술서를 비롯해 사건에 가담한 이태곤, 유희찬, 박상민, 송건규의 이름을 나란히 적었다.

"이 친구들은 죄를 인정하고, 네게 도의적인 사과도 하고, 처벌도 받게 될 거야. 하지만 대개 이런 경우 벌금으로 끝나고, 이 친구들 부모님들이 오셔서 학교에 알려지는 것만은 막아달라고 부탁하실 가능성이 크다. 네가 원하면 알리겠지만, 그렇지 않다면 보통 알리지 않는다. 일단 초범들이고 정학이나 강제 전학, 퇴학으로 이중 처벌을 받게 되면 재범할 확률이 높거든."

"아니요. 괜찮습니다."

이도원이 바라던 바였다.

새로운 연극부를 만들려면 인원수를 채워야 한다는 이유가 가장 컸다. 현재는 다들 특별활동을 들고 있는 학기 중이기 때문에 친구가 별로 없는 이도원 입장에선 인원수를 맞추는 일이 가장 골칫거리인 것이다.

'작은 판단과 실수들이 얼마나 끔찍한 결과를 초래할 수 있는지 이번 기회에 느껴봐라.'

명단과 진술서를 제출한 이도원은 경찰서를 나왔다.

폭행 사건을 일단락 짓자 또 숨 돌릴 틈 없이 5월 13일 오디선 날이 다가왔다. 그동안 독백 대회 우승 문자가 왔다. 기쁜 소식과 함께 학업에만 힘을 쏟았던 이도원은, 정작 〈만신전〉 오디션 대본을 출력해 두기만 하고 방치해 뒀다.

이도원은 지하철을 타고 9호선, 여의도 샛강 역에 위치한 KAS 별관 1층 로비로 갔다. 그곳에는 이도원 나이 또래의 남학생 열두 명이 이곳저곳 앉아 쪽대본을 보고 있었다.

발등에 불이 떨어진 이도원도 급급히 쪽대본을 펼쳐 들고 집중한 상태로 연습을 했다. 〈만신전〉 통대본의 일부만 발췌한 쪽대본이라 전체적인 내용을 알 수는 없었지만, 오디션 볼 인물의 상황 정도는 대사로 파악할 수 있었다.

그때 전화로만 목소리를 들었던 캐스팅 디렉터 정윤복이 나타났다. 캐주얼한 복장을 입은 작은 키의 남자였다.

"〈만신전〉 오디션 온 애들 맞지? 명단 체크할 테니까 이름 부르면 대답해."

쭉 이름을 부르던 그는 마지막에 가서 잠깐 멈췄다.

"이도원. 네가 이도원이냐?"

"네."

"음… 알겠다."

정윤복은 눈살을 찌푸린 표정으로 고개를 끄덕였다. 아니꼬운 눈치에 이도원은 순간 울컥했지만 참았다.

'연기로 보여주자.'

다짐하고 있는데, 정윤복이 뜻밖의 소리를 했다.

"다들 자유 연기 하나씩 준비했지?"

"네!"

학생들이 대답했다.

이도원으로서는 금시초문이었다.

정윤복은 그에게 자유 연기를 준비하라고 언질한 적이 없었다. 이도원만 쏙 빼고 통보한 것이다.

'유치하게 노는군.'

그는 피식 웃었다. 정윤복의 수작질이 가소로워 보였다.

타임 슬립 전, 15년 이상을 배우로 살아왔던 이도원이다. 제대로 된 배우는 언제든 자신 있게 할 수 있는 자유 연기가 한두 가지는 있다. 더군다나 대학 때 연기과를 졸업하고, 사고를 당하기 전까지 영화, 드라마, 연극에서 다양한 활동을 보였던 그로서는 자유 연기할 작품을 고르는 일만 남은 것이다.

'한 번 했던 작품의 인물은 죽어서도 잊어먹지 못하는군.'

이도원은 타임 슬립 전 한 영화에서 연기했던 조단역 때의 대사가 선명히 떠오르자 자조적인 미소를 지었다. 정윤복은 그 얼굴이 마음에 들지 않는지 톡 쏘았다.

"넌 긴장이 안 되나 보군."

"자유 연기도 함께 준비하라고 너무 잘 말씀해 주서서, 열심히 준비해 왔거든요."

이도원은 일부러 강조해 말했다. 정윤복의 옹졸한 수작을 반어법으로 비판한 것이다. 그를 빤히 보던 정윤복이 대답했다.

"그래? 어디 얼마나 잘하나 보자."

명단 순서는 이도원이 마지막이었다. 이것 역시 정윤복의 노림수일 확률이 컸다. 첫 번째 순서가 가장 부담이 크지만, 금방 오디션을 끝내고 홀가분하게 일찍 귀가할 수 있다. 반면 마지막 순서는 그동안의 초조함을 고스란히 느껴야 한다. 오디션 내용이 준비되지 않은 상태라면 불안감은 더더욱 클 수밖에 없다.

'내게는 오히려 연습할 시간을 준 셈이지만.'

이도원은 내심 웃었다. 그렇잖아도 준비가 덜 된 상태였는데 오히려 잘된 일이었다. 같은 처지에 금방 친해진 학생들은 저마다 긴장감을 토로하고 있었다.

"아, 떨려. 그래도 혼자 보는 게 어디야?"

"두 명씩 봤으면 더 떨릴 뻔."

"아, 됐으면 좋겠다."

한마디씩 했을 때 한 남학생이 은근하게 알고 있는 정보를 풀었다.

"내가 예전부터 보출(보조 출연)했었거든? 그래서 디렉터 형이랑 좀 친한데, 오디션 합격자는 이미 내정되어 있다고 그러던데? 아까 명단에 이현태라고 있었지? 걔 소속사 있는 배우 연습생이래."

"에이, 설마. 그럼 왜 이 고생을 해?"

"다 쇼지. 그냥 넣으면 나중에 연줄이니 뭐니 말 많으니까."

학생들은 반신반의하는 눈치였다.

이도원은 이미 잘 알고 있는 사실이었다. 타임 슬립 전 드라마 출연을 몇 번 했었던 그로서는 방송 쪽이 달갑지 않은 이유기도 했다. 모든 방송이 그런 건 아니지만 방송 쪽은 오디션 전에 이미 배역을 내정한다거나, 출연료 지급이 늦어지는 경우가 허다했다. 또한 드라마는 빡빡한 방송 스케줄상 시간이 생명이기 때문에 현장 분위기가 가장 험악했다.

'아무리 그래도, 이번 오디션까지 배역이 내정되어 있을 줄이야.'

드라마 〈만신전〉의 A팀 카메라감독인 박서진의 아버지에게 제의받은 오디션이었기 때문에 더욱 의외였다. 물론 박서진의 아버지는 거기까지 신경 쓰진 않았겠지만, 이런 오디션인 줄 알았으면 이도원은 정중히 사양했을 터였다.

'새 삶에서 보게 된 첫 오디션이 들러리였다니.'

안 그래도 달갑잖은데, 그 점부터 심사가 뒤틀렸다.

*　　　*　　　*

KAS 드라마 〈만신전〉 오디션 진행은 간단했다. 차례가 되면 한 사람씩 위층으로 올라가고 나머지는 로비에 남았다. 그들은 오디션이 끝나는 대로 인사만 하고 집으로 귀가했다. 순서가 중간까지 진행됐을 때, 학생들이 내정된 배역이 아니냐고 의심을 품었던 대상인 이현태가 왔다.

"늦어서 죄송합니다."

"아니야, 아니야! 그렇잖아도 요즘 들어가는 작품이 조금씩 생겨나고 있어서 바쁠 텐데."

캐스팅 디렉터 정윤복이 너그럽게 말하며 덧붙였다.

"아직은 단역이지만 장차 주조연급 배우 됐다고 나 몰라라 하면 안 된다? 내가 섭외 요청하면 응해줄 거지?"

"당연하죠. 하하."

이현태는 하얀 얼굴과 큰 키 덕분에 교복이 잘 어울렸다. 쌍꺼풀이 없는 눈이지만 이목구비가 뚜렷하고 비율이 좋아 한눈에 봐도 배우 느낌이 물씬 풍겼다. 그 역시 이도원을 보고 비슷한 느낌을 받았다.

"저쪽 친구, 잘생겼네요."

"잘생기긴 했지. 성격은 모르겠지만."

정윤복이 대답했다. 이도원은 그들은 안중에도 없는 듯 대본을 이어폰을 꽂고 대본 연습에 몰두하고 있었다.

"아무튼, 곧 네 순서니까 바로 올라가. 대본은 볼 것 없지? 이번에도 어렵잖게 합격할 수 있을 거야."

"하하, 모르죠. 뭐. 그래도 열심히 연습해 왔어요."

이현태는 겸손하게 말했지만 자신감이 넘쳤다. 그 목소리를 들으며 이도원은 피식 웃었다.

'역시 될 놈들은 애 같지가 않아.'

이현태가 위층으로 올라갔다 내려온 뒤에도, 몇몇 학생이 더 오디션을 봤다. 학생들은 이현태를 보고 신기하다는 반응을 보였지만 말을 붙이거나 하진 못했다. 그들 순서가 모두 끝나자 마지막으로 이도원의 차례가 왔다.

"자, 네 차례다."

정윤복의 말에 고개를 끄덕인 이도원은 이어폰을 빼고 가방을 멘 뒤 위층으로 올라갔다. 오디션을 볼 장소는 6층에 위치한 드라마국의 대본 리딩장이었다. 그곳에는 조연출(AD)과 정윤복의 선임으로 보이는 캐스팅 디렉터가 함께 앉아 있었다. PD나 작가는 보이지 않았다.

'단역 오디션이니까.'

이도원은 납득하며 두 사람에게 인사했다.

"열일곱 살 이도원입니다."

캐스팅 디렉터는 사십 대였고, 조연출은 이십 대였다. 젊은 조연출이 말했다.

"준비한 대사부터 해보세요."

이도원은 삼 초 정도 지난 뒤 말했다.

"시작하겠습니다."

그들이 고개를 끄덕이는 걸 신호로 이도원의 입이 열렸다. 독백 대회에서 보였던 연극 연기와는 달리 발성이 적당히 버무려진 음성이었다.

"셰프 불러주세요."

이도원은 턱 끝을 살짝 치켜든 채로 거만하게 말했다. 단역인 고객이 컴플레인을 넣는 장면인데, 현재 방영되고 있는 KAS 드라마 〈만신전〉에서 앞으로 나올 예정이었다.

집중한 이도원의 눈에는 흐릿하게, 컴플레인을 듣고 달려오는 셰프가 보였다. 이도원은 여전히 고자세를 유지하며 말했다.

"꽤 자주 오던 곳인데, 맛이 조금 다르군요."

잘 정제되어 있는 발성이 과하지 않으면서도 실내를 꽉 채웠다. 연극으로 비유하면 극장 규모에 따라 발성을 적절히 사용해야 하듯이, 방송 연기도 부족하거나 과한 발성은 자칫 어설퍼 보이거나 오버하는 느낌을 줄 수 있었다. 그런데 이도원은 딱 적당한 발성을 썼다.

'마치 프로 같군.'

음성만으로도 뭔가 다르다는 것을 느낀 조연출이 상대역 대사를 쳐주었다.

"어떻게 다른가요, 손님?"

감정 없이 읽는 수준이었다. 오히려 몰입을 방해하는, 갑작스러운 개입에도 이도원은 흐름을 유지했다.

"제가 높은 가격을 지불하면서까지 이곳을 이용하는 이유는 많은 조미료를 첨가하지 않기 때문이에요. 어떤 사정이 있는지 모르겠지만 지금은 음식에 강한 조미료 향이 섞여 있고, 이 문제는 쉽게 해결되지 않을 것 같군요. 재료가 떨어졌든, 셰프가 바뀌었든, 제가 레스토랑 내부 사정까지 신경 써야 하는 겁니까?"

"아닙니다. 바로 다시 만들어서 올리겠습니다."

조연출이 대사를 하자 이도원은 한쪽 입꼬리를 올렸다.

"그러길 바랐다면 긴말하지 않았을 겁니다. 그쪽은 환불해 주면 되고, 저와 제 지인들은 더 이상 이곳을 이용하지 않을 겁니다."

대사는 그걸로 끝이었다.

그가 연기한 인물은 레스토랑의 위기를 고조시키는 목적의 단역이었기 때문에 두 번 나올 예정은 없었다. 이만하면 단역치고 대사나 분량도 많은 편이었다. 어찌 됐든, 이런 단적인 대사들을 통해 까다로운 상류층 손님을 표현하는 것이 오디션의 관건이었다. 이도원의 연기를 모두 지켜본 조연출이 말했다.

"표정이나 대사 둘 다 좋군요. 대본에 나와 있는 말투를 바꾸었는데, 작가님이 허락하실지 모르겠지만 대본 해석과 표현력이 돋보였습니다. 지금까지 학생들이 다들 진상 손님을 표현한 데 반해 아주 정중하면서도 까탈스러운 연기가 인상적이고요."

말을 마친 그는 옆에 앉은 캐스팅 디렉터를 보았다. 중년의 캐스팅 디렉터는 펜을 내려놓더니 의자에 등을 기대었다.

"잘 봤습니다. 수고했어요."

그는 눈길도 주지 않고 말했다. 그 말에는 이미 내정되어 있는데 더 볼 것 있냐는 의미가 내포되어 있었다. 반면 조연출의 생각은 전혀 달랐다.

"자유 대사도 한 번 보겠습니다."

캐스팅 디렉터가 눈살을 찌푸렸지만 조연출은 개의치 않았다. 외주업체인 캐스팅 디렉터보다 드라마 담당 PD의 전권을 갖고 오디션을 진행하는 조연출의 입지가 큰 것이다.

'자유 대사까지 시키는 걸 보면 내정되어 있는 후보를 바꿀 생각도 있다는 뜻 같은데……'

이도원은 응해야 하나 말아야 하나 고민했다. 그렇잖아도 단역에 큰 관심이 없던 참이었는데, 이미 내정된 오디션이라는 것에 실망했고, 캐스팅 디렉터의 모습에 다시 한 번 기분이 상했기 때문이다.

'준비 못 했다고 얘기한 뒤에 나갈까?'

그런 생각도 들었지만 조연출에게까지 낙인찍혀서 좋을 건 없었다. 더불어, 해볼 테면 해보라는 듯 비웃음을 머금은 캐스팅 디렉터의 표정을 바꿔주고 싶었다.

"알겠습니다."

이도원이 자연스럽게 다음 연기를 준비했다. 그 모습에 캐스팅 디렉터의 얼굴이 일순 굳어졌다.

'독백 대회 우승한 놈에게는 자유 대사 애길 안 했을 텐데?'

그는 정윤복에게, 이현태와 경쟁자가 될 만한 이도원에게는 자유 대사를 준비하란 말을 고의적으로 뺐다는 보고를 들었던 것이다.

한편, 이도원이 보여줄 대사는 아직 영화로 만들어지지 않은 작품이었다. 작품 속에서는 법정 공방이 치열한 가운데 단역으로 등장하는 변호사가 주인공을 변호한다. 그 변호사가 전생에 목소리를 잃기 전 그가 맡았던 배역이었다. 이도원은 당황한 캐스팅 디렉터를 아랑곳 않고, 술술 대사를 치기 시작했다.

"결정적으로 원고 측에서 제시한 진술서는 그 증거능력이 없습니다."

운을 뗀 이도원은 법정 한가운데 서서 판사에게 말하듯 고개를 조금 치켜들고 연기를 이어나갔다.

"비록 피고인이 진술서를 작성하였으나 수사기관이 그에 대한 조사과정을 기록하지 아니하여 절차를 위반한 경우 형사소송법 제 244조의 4, 제 3항, 제 1항의 절차를 위반한 것으로 간주하여 특별한 사정이 없는 한 '적법한 절차와 방식'에 따라 수사과정에서 진술서가 작성되었다고 할 수 없기 때문입니다."

그는 증거를 제출한 뒤 말했다.

"국립과학수사연구소 감정인이 '유서와 피고인의 필적이 동일하다는 부분을 그대로 믿기 어렵다'고 판단한 감정서입니다.

이는 피고인의 유서를 위조하지 않았다는 주장을 뒷받침합니다."

이도원의 힘 있는 목소리가 법정 대신 리딩장을 꽉 채웠다. 조연출과 캐스팅 디렉터는 그들이 법정에 앉아 있는 배심원이 된 것 같은 느낌을 받았다.

"따라서, 비록 여러 증거가 제시되었지만, 그중 합리적인 의심의 여지가 없을 정도로 충분한 증거는 단 하나도 없었다는 것이 이 사건의 요점입니다."

어렵고 긴 내용을 간단히 소화한 그는 잠깐의 사이를 두고 긴장감을 고조시킨 채 대사를 끝맺었다.

"이상입니다."

전문직 배역은 성인 연기자들도 애를 먹는 어려운 고난도의 연기가 필요했다. 생소하기 때문이라는 이유도 있었지만, 관객을 몰입시키고 설득시키기 위해서는 말투부터 섬세한 동작 하나까지 신경 써야 한다. 즉, 그야말로 연기를 맛깔나게 해야 한다는 뜻이다. 그런데 이도원은 열일곱 살과는 전혀 어울리지 않는 이 배역을 훌륭히 소화해 버린 것이다.

조연출은 나직이 감탄했다.

"멋지군요. 잘 봤습니다."

그의 표정을 본 캐스팅 디렉터는 이도원이 들릴락 말락 한 목소리로 말했다.

"우리 쪽이랑 얘기된 게 있는데, 설마 쟤를 붙이시려는 건 아니죠?"

"내보내고 말씀하시죠."

조연출이 대답했다.

이도원은 캐스팅 디렉터들이 무명 배우에게 무례하다는 사실을 잘 알고 있었다. 그들은 자신들이 배우들을 섭외할 권한이 있다고 해서 '갑'의 행동을 취하는 경우가 대부분이었다. 만약 이도원이 유명 배우였다면 상황은 달라졌을 것이다.

'언제 그랬냐는 듯 태도를 백팔십도 바꾸겠지.'

보통은 가식이니 겉과 속이 다르니 하겠지만, 이쪽 바닥은 오히려 그편이 상식적인 세계였다. 오직 인기에 따라 변하는 태도를 자연스럽게 받아들여야 하는 곳.

이도원은 새삼 역한 기분이 들었다. 가만히 서 있는 그를 보며 조연출이 말했다.

"그만 나가보세요."

"예, 알겠습니다. 그런데……."

그는 나가기 전 뜻밖의 말을 했다.

"만약 합격이 되더라도 이번 기회는 고사하고 싶습니다. 몸이 좀 안 좋아서요."

캐스팅 디렉터는 피식 웃었다.

"거봐요. 몸이 안 좋다고 하잖습니까? 잘 됐습니다, 조감독님."

조연출은 그 말에 대답하지 않았다. 그는 찜찜한 기분으로 이도원에게 고개를 끄덕였다.

"알겠습니다."

이도원은 고개를 숙여 인사한 뒤 리딩장을 빠져나왔다. 그는 혹시라도 이번 일로 찍히지 않을까 굳이 걱정하지 않았다. 그는 그들이 신경 쓸 정도로 중요한 인물이 아니었으니까. 이도원은 자조적으로 웃었다.

'중요한 인물이 되면 언제든 얼굴색 바꾸고 달려들 테고.'

그렇다는 건 외롭고 치열한 경쟁에서 승리했을 때 누구보다 달콤한 영광을 거머쥘 수 있다는 뜻이기도 했다. 겉은 설익었더라도 속은 무르익은 이도원이야말로 냉혹한 현실과 약육강식의 세상에 익숙한 사람이었다.

*　　　*　　　*

KAS 미니시리즈 〈만신전〉의 조연출 민영기는 오디션이 끝나자마자 함께 연출을 전공한 후배 유태일에게 전화를 걸었다.

"너 이번에 졸작(졸업작품) 들어가지?"

그는 밑도 끝도 없이 질문했다.

유태일이 막 일어난 목소리로 대답했다.

—아, 선배님. 예. 이번에 들어가야죠. 어제 철야 촬영해서 이제 일어났습니다.

"나 KAS 방송국에 입사한 건 알고 있지?"

―예, 예. 그럼요.

"이번에 원석 하나 캤어."

―예?

뚱딴지같은 소리에 유태일이 물었다. 그가 어떤 반응이건 민영기는 극도로 흥분한 상태였다.

"내가 이번에 〈만신전〉 제작팀에 들어갔거든? PD님 대신 감독한 오디션에서 기가 막힌 녀석 하나 발견했어. 아직 고딩인데 연기력은 단역급이 아니야. 주조연 주면 훌륭히 소화할 인재야."

―남자애죠?

"응."

―남자 주인공이 성인 역할인데 고등학생이 소화할 수 있겠어요? 선배님도 아시다시피 제가 가장 추구하는 게 리얼리즘입니다.

"차고 넘칠걸. 배역이 몇 살인데?"

―스물일곱이요. 삼았어요?

"특수 분장 시켜. 충분히 가치 있다. 말론 브란도가 사십 대 때 〈대부〉에서 특수 분장하고 노인 연기 소화한 일화 알고 있지? 네 작품에서도 그대로 적용해서 출품하면 작품이나 연기자 모두, 관계자들한테 가십거리가 될 거야."

―그렇게 해서까지 출연시킬 정돕니까?

"내가 졸작 했으면 바로 섭외했다. 한번 직접 봐."

설득이 끝났다.

민영기는 유태일이 인정하는 선배였다.

그는 중영대학교 연출과의 전설이기도 했다. 감독으로서 현장지휘능력이나 연출력, 섭외능력까지 뭐 하나 빠지지 않는 팔방미인이었다. 비록 지금은 영화 일을 포기하고 현실과 타협해 방송국 조연출로 갔지만, 〈만신전〉이 흥행하는 이면에는 그의 능력도 분명 한몫하고 있었다. 방송 쪽으로 진출한다고 했을 때 교수들이 가장 아쉬워했던 학생이 그였던 것이다.

잠시 고민하던 유태일이 대답했다.

─그 친구 번호 부탁드립니다, 선배님. 직접 보고, 저도 같은 생각이면 감사의 뜻으로 한턱 쏘겠습니다.

"치사한 놈. 학교 때도 그렇고, 절대 공짜로 쏜다는 말은 안 해요. 문자로 번호 찍어줄 테니까 한번 연락해 봐. 우리 쪽 사람이 실수하는 바람에 배역 까고 갔는데, 성격이 보통은 넘더라."

─선배님도 아시다시피 모난 배우랑은 작업 못 합니다. 연기를 아무리 잘해도 팀워크 망치면, 연기 못하고 말 잘 듣는 배우만 못하니까요.

"잘 알지! 그래도 싸가지 없다거나 무책임한 녀석은 아닌 것 같으니까 직접 보고 판단해 봐."

─알겠습니다.

이도원의 휴대폰이 울렸다.

'요즘 모르는 번호로 전화가 많이 오네.'

그는 그런 생각을 하며 전화를 받았다.

"여보세요?"

—이도원 학생 핸드폰 맞습니까?

"네, 그런데요. 누구시죠?"

—저는 중영대학교 연출과에 재학 중인 4학년 유태일입니다. 이도원 학생 번호는 KAS 방송국 조연출인 민영기 선배님한테 들었습니다.

"아, 네."

이도원은 소름이 쫙 끼쳤다. 상대방이 말하는 내용도 뜻밖이었지만 그것 때문이 아니었다. 그가 놀란 이유는 바로 유태일이라는 이름 때문이었다.

'단순히 동명이인인가?'

그럴 가능성은 희박했다. 따라서 전화를 건 상대가 이도원이 생각하는 유태일 감독이라면 그야말로 기막힌 우연이었다. 유태일은 이도원이 타임 슬립하기 전, 명실상부 대한민국 최고의 감독이었다. 또한 그가 무성극을 할 당시, 새로운 작품인 〈서커스〉의 주연으로 이도원을 발탁했던 감독이기도 했다.

이도원은 두근거리는 가슴을 안고 물었다.

"무슨 일이시죠?"

—이번 저희 중영대학교 연출과에서 졸업 작품을 준비하는

데요. KAS 드라마 〈만신전〉 오디션 보셨죠? 그곳에 있던 조연출이 제 선배입니다. 도원 학생에게 연락한 이유도 그 선배의 추천이 있었고요.

이도원은 머릿속이 하얘졌다.

'인연이 이렇게 이어지다니.'

전생에도, 지금도 영광스러운 기회였지만 그는 섣불리 대답할 수가 없었다. 타임 슬립 전 죽음으로 연결되었던 상황과 관련되어 있기 때문이다. 본능적인 두려움이 들었지만, 이도원은 애써 물리쳤다.

"전화 주셔서 감사합니다. 일정 알려주시면 맞춰서 가겠습니다."

—학생이니까 학교 다니고 있을 테고… 6월 6일 토요일이 좋겠네요. 그날 중영대학교 정문에서 연락 주시면 마중 나가겠습니다.

"예. 오디션 준비는 어떻게 해갈까요?"

—당일 상황을 드릴 겁니다. 그에 맞게 상황극을 해주시면 돼요. 아, 그리고 경쟁자는 저희 중영대학교 연기과 학생들이 될 겁니다.

중영대 연기과라면 현존하는 최고의 학교 중 하나였다.

이도원은 벌써부터 긴장감이 팽배하는 걸 몸소 느끼며 대답했다.

"알겠습니다."

─예, 그럼 그날 뵙죠.

이도원은 유태일이 전화를 끊을 때까지 기다렸다. 그리고 전화가 끊어지기 무섭게 환한 미소를 지었다.

'이번에야말로 기회를 잡는다.'

이도원은 유태일의 제안을 받은 뒤 하루도 빠짐없이 연습에 충실했다. 연기를 할 때 순간적인 폭발력은 어떻게 못 하더라도, 꾸준한 연습만이 안정된 연기력을 보장해 주기 때문이었다.

그동안 이도원을 폭행했던 한태양이 소년원에 수감됐다는 소식이 들려왔다. 또한 연극부 인원들에게는 벌금형이 떨어졌다. 그들과 결탁해 학교 공금을 횡령했던 시간제 강사는 사기 대출건으로 조사가 진행되고 있는 상태였으며, 스포츠 도박 때문에 범행을 저지른 것으로 밝혀졌다. 당연히 형이 확정되었고, 조용한 파란이 일었던 학교 측은 외부에 사실이 새어 나가지 않도록 긴급조치를 취했다. 모든 일이 이도원이 계획한 대로 흘러가진 않았으나, 사건은 그렇게 일단락되었다.

그리고 마침내 대망의 6월 6일 날 아침.

이도원은 동작구 흑석 역에 위치한 중영대학교를 찾아갔다. 집에서부터 지하철로 한 시간 조금 안 되는 거리였다. 무사히 도착한 그는 기대 반 흥분 반으로 유태일에게 전화를 걸었다.

—여보세요?

"안녕하세요. 그때 전화 주셨던 이도원이라고 합니다."

—예. 지금 현장이니 이십 분 후까지 301동 아트센터 5층 507호로 와줄래요?

"알겠습니다."

이도원은 전화를 끊고 십 분에서 십오 분 거리의 목적지를 향해 걸었다.

'여기가 중영대 영화학과 건물.'

연극하던 시절 학교는 와본 적이 있지만 연출과 건물은 처음이었다. 그는 5층 507호로 갔다.

강의실 앞 복도에는 딱 봐도 연기과 학생처럼 보이는 잘생긴 남학생 한 명과, 개성 있는 외모를 가진 남학생 세 명이 먼저 와서 기다리고 있었다. 그리고 연출과 학생이 대기 번호를 나눠주고 있었다.

연기과 학생들은 이도원을 보며 웅성거렸다.

"성인 배역이라고 알고 있는데, 고등학생 아니야?"

"그냥 동안 아니야? 외부에서도 부른 건가?"

"그럼 이미지가 안 맞잖아. 게다가 우리 연기과가 있는데, 왜 굳이? 잘하는 앤가?"

같은 연기과인 참가자들끼리는 이미 친한 관계였다. 자연스럽게 이도원만 낙동강 오리알처럼 떨어진 의자에 앉았다. 그때 번호표를 나눠주던 연출과 남학생이 말했다.

"유태일 선배님이 곧 오신다고 하네요. 많이 기다리셨습니다, 배우님들. 아시다시피 유태일 선배님은 이미 고등학교 때부터 단편영화제에 출품하면서 본선까지 오르는 등 많은 이력이 있는 분이니 아마 같이 작업하게 되면 좋은 경험이 되실 거예요."

그의 말은 이 자리의 누구나 알고 있는 사실이었다. 유태일은 일찍부터 두각을 나타내고 있었다.

"꼭 같이 작업해 보고 싶네요."

대기자 중 잘생긴 남학생이 말했다. 연기과 학생들에게 일 년에도 몇 작품이나 하는 연출과 학생들은 잘 보여야 할 대상이었다.

연출과 학생이 대답했다.

"꼭 합격하시기 바랍니다."

그걸 끝으로 문이 열리며 유태일이 들어섰다. 그는 연기과 학생들과 이도원의 면면을 한차례 훑으며 인사했다.

"반갑습니다. 유태일입니다. 다 같이 들어오시죠."

그 말을 남긴 유태일은 강의실로 들어가 버렸다.

남겨진 연출과 학생이 반복해서 말했다.

"다 같이 들어가시면 됩니다."

연기과 학생 하나가 난처한 얼굴로 중얼거렸다.

"단체 오디션이야?"

다들 표정이 좋지 않았다. 여러 명이 함께 오디션을 보게 되면 그만큼 긴장이 더 되는 건 당연했다. 그들이 줄줄이 들어가서 일렬로 서자 유태일이 입을 열었다.

"먼저 소개부터 들어볼까요? 다들 아시겠지만 전 유태일입니다."

이도원은 젊은 시절의 유태일 감독을 보고 신기한 기분이 들었다. 한편으로 반갑기도 했지만, 당장 오디션을 앞둔 긴장감이 더욱 컸다. 게다가 하필이면 그가 첫 번째 순서였던 것이다.

∗　　　　∗　　　　∗

이도원이 입을 열었다.

"안녕하십니까. 열일곱 살 이도원입니다."

유태일이 고개를 끄덕이며 모른 체를 했다. 민영기에게 소개를 받은 뒤 처음 보는 두 사람이었지만, 지금은 살가운 인사를 나눌 시간이 아니었다.

"다음 분."

그 말에 따라 줄줄이 자기소개를 마쳤다.

소개가 모두 끝나자 유태일이 이도원을 보며 말했다.

"사전에 통보했듯 삼 분 동안 즉흥 연기를 볼 생각입니다. 상황은 제가 설정하죠. 첫 순서인 이도원 학생은 아내를 잃은 남편 연기를 해보세요. 이 설정만 갖고 본인이 표현하고 싶은 대로 자유롭게 해보는 겁니다."

유태일은 깍지를 끼고 턱을 괴었다.

하늘같은 선배인 민영기의 말을 듣고 부르긴 했지만, 그는 이도원이 이 설정을 훌륭히 소화할 수 있을 거라고 생각하지 않았다. 다만 열일곱 살의 이도원이 결혼한 반려자를 잃은 슬픔을 어디까지 표현할 수 있을지 보고 싶을 뿐이었다.

유태일이 덧붙였다.

"아, 하지만 원래 사이가 안 좋았다거나 알고 보니 남편이 와이프를 죽인 살인자였다거나 그런 막장 설정은 금해주십시오. 제가 도원 학생에게 보고 싶은 건 애절함이니까요."

이도원은 고개를 끄덕이며 말했다.

"시작하겠습니다."

긴장감이 정수리까지 치고 올라갔다. 그는 이 순간이 좋았다.

'두려움을 즐겨라.'

이도원은 눈을 감고 감정에 집중했다. 점차 들뜬 흥분이 가라앉으며 가슴에 묵직한 한이 자리 잡았다. 그 정체는 사랑하는 사람의 죽음을 바라볼 수밖에 없었던 안타까움이었다. 사랑하는 사람의 죽음을 되돌릴 수 없다는 서글픔이었다. 사랑하는 사람을 데려간 하늘을 원망하는 분노였다. 그리고 사랑하는 사람을 잃고 마주할 미래에 대한 절망과 두려움이었다.

다리 힘이 풀린 이도원은 털썩 주저앉았다. 수많은 감정으로 범벅된 한스러움이 그녀를 향한 미안함으로 돌변했다. 그 감정이 가슴을 난도질해 놓았다. 너무나 깊이 파인 상처들이 영원히 사라지지 않을 흉터로 남을 것만 같았다.

'아직도 네가 곁에 있는 것 같아.'

이도원은 끝끝내 말문을 열지 못했다.

이내 울기 시작했다. 엉엉 울었다.

시간이 가고 있었다. 일 분, 이 분……

이도원에게 주어진 시간은 이제 일 분밖에 없었다.

하염없이 울고만 있는 그를 보다 못한 유태일이 물었다.

"왜 울기만 하죠?"

기다렸다는 듯, 이도원이 고개를 들었다. 떨리는 그의 입술을 비집고 희미한 한 마디가 흘러나왔다.

"아내가 죽었습니다."

이도원은 음성을 무저갱 아래로 떨어뜨렸다. 그의 목소리를 따라 듣는 사람들도 나락으로 떨어졌다. 심장이 끝도 없는 아래로 낙하하는 기분이었다. 철렁 내려앉는 느낌에 순간적으로 숨이 턱 막혔다. 이 자리의 모두가 어떤 감탄조차 하지 못했다. 짧은 침묵 끝에, 유태일이 신음인지 감탄인지 모를 소리를 냈다.

"허."

이성을 되찾자마자 든 생각은 하나였다.

'이거 괴물이잖아?'

유태일은 예정에도 없던 질문을 했다.

"무슨 생각을 하고, 왜 그렇게 표현한 겁니까?"

이도원은 거짓말처럼 울음을 그쳤다. 그는 여운이 다 가라앉지 않았는지 맥없는 미소를 그리며 대답했다.

"이 세상 대부분의 것은 돌이킬 수 있습니다. 옷에 음식을 흘리면 빨면 되고, 물을 쏟으면 닦으면 되죠."

"그런데요?"

"하지만 죽음은 돌이킬 수 없잖아요. 그런 마음을 품고 연기를 했습니다."

"이거야, 원……."

유태일이 말끝을 흐리며 나머지 참가자들에게 고개를 돌렸다.

"계속 볼까요?"

참가자들이 고개를 절레절레 저었다. 충격적인 발상과 연기를 본 그들이 제 실력을 발휘할 수 있을 리가 없었다. 프로였다면 달랐겠지만, 아직 학생 수준에서 머물고 있는 그들은 안 하니만 못한 연기를 보여주었다. 그것만 봐도 연기에 있어서 정신력이 얼마나 중요한지 느낄 수 있었다.

한편 이도원은 또 다른 상념에 사로잡혔다.

'책을 읽거나 대본을 읽고 연기를 한 것도 아닌데, 상상만으로 무섭게 몰입이 됐다.'

타임 슬립 전이라도 같은 발상을 토대로 기술적인 연출을 할 수 있었을 것이다. 기술적인 배우가 감정이 풍부한 감각적인 배우를 이길 수 있는 무기는 훈련이 밑바탕된 안정된 연기력과 신선한 발상뿐이었으니까. 하지만 이토록 감정을 끌어 올려 연기를 해내지는 못했을 거라는 확신이 들었다. 그 생각과는 무관하게, 오디션 결과는 이미 결정된 듯 보였다.

오디션을 모두 마친 유태일은 민영기에게 전화를 걸었다.

─오, 태일이구나. 오늘 오디션 있는 날이지?

"이미 봤습니다."

유태일은 전에 없이 심각하게 말했다.

"선배님. 오늘 온 그 친구, 뭔가 이상합니다."

─뭐가? 문제 있어?

"반칙하는 느낌이에요. 이질감이 들 정도로 잘합니다. 그래서 인간미가 안 느껴져요. 동질감도 안 듭니다."

─그게 무슨 뚱딴지같은 소리야?

"딱 정의하긴 그런데… 고슴도치 같습니다. 그 친구 연기를 보면 분명 다들 감탄하겠지만 동료 배우들은 절망하겠죠. 그 자신은 돋보이겠지만, 그를 뒤덮고 있는 가시들 때문에 주변 사람들이 다칠 겁니다. 현장 분위기도 망가지겠죠. 그럼 영화를 보는 관객들도 불편해집니다."

─하. 너무 잘해서 문제다 이거지?

"잘하긴 하는데 융화될 수 있을지 모르겠습니다. 마치 감당할 수 없는 능력을 품은 느낌이랄까요? 수많은 천재가 독보적으로 혼자 살아갔지만, 영화는 다릅니다. 종합예술이고 공동작업이에요. 잘 아시지 않습니까?"

—뭐, 너처럼 섬세하게 볼 기회는 없었다만 대충 무슨 뜻인지 알겠다. 하지만 연출자로 살아가면서 그런 배우를 보기가 얼마나 힘든 줄 알잖아? 그런 배우를 만져 볼 기회가 언제 있겠냐? 네가 한번 만들어봐.

그 말에 유태일은 안색이 어두워졌다.

"제가 감당할 수 있을까요?"

—모르긴 몰라도 너나, 그 녀석이나 엄청나게 성장할 거다. 작품은 말아먹으면 또 찍으면 되지만 그런 배우를 컨트롤해 볼 기회는 평생 한 번 올까 말까 해. 그런 인재를 단역으로 쓰기 아까워서 설득하지 않았다만, 난 네가 부럽다. 내가 영화를 하고 있었다면 그런 배우는 당장 썼을 거야.

"알겠습니다."

대답한 유태일이 희미하게 웃었다.

"다시 한 번 고민해 볼게요. 그리고 섭외하게 되면 한턱 쏘겠습니다."

—또 말은…….

웃으며 말끝을 흐린 민영기가 이어 물었다.

—여배우도 만만찮은 괴물이라고 하지 않았냐?

"이번에 아역으로 주가를 올리고 있는 차지은 아시죠?"

—아, 그 중학생 꼬마? 우리 〈만신전〉에서도 여주인공 아역으로 나왔다. 나도 친해.

"차지은이 주연입니다."

—야, 걔가 독립영화를 한다니?

"독립영화로 출발하는 건 맞지만 거기서 멈출 게 아니니까요."

졸업 작품은 단편이든 장편이든 독립영화로 제작되게 마련이다. 독립영화는 이윤 확보를 1차 목표로 하는 상업 영화와는 달리 창작자의 의도가 우선시된다. 말 그대로 자본과 배급망으로부터 '독립'하는 것이다. 따라서 당연히 개런티도 적을뿐더러 작업환경도 열악할 수밖에 없었다.

—걔가 뭐가 아쉬워서? 지금도 잘나가고 있는데.

"연기력으로 얘기 많이 나오잖아요. 잘하는데 빤하다고."

—아직 중학생인데 어떻게 더 잘해? 비슷한 캐릭터라도 완벽히 소화하는 게 어디야.

"아무튼 소속사에서 이미지 전환을 좀 하려는 것 같아요. 얼굴이 청순하고 예뻐서 항상 비슷비슷한 캐릭터만 했던 데다, 연기력이 외모에 많이 가려지니까요."

—하긴, 네가 연출하는 영화면 관계자들이나 영화 좋아하는 관객들이야 다 찾아볼 거고.

"과찬이십니다."

유태일은 씨익 웃으며 말했다.

"이번에 이미지 제대로 깨줘야죠. 일진 여동생 역할입니다. 그리고… 아마 그 친구를 섭외하게 되면, 그 친구가 오빠 역할을 할 거고요. 이 두 명이 남녀 주인공입니다."

―형제애라. 잘 만들어야겠네.

"그렇죠."

―내가 소개한 녀석. 쓸지 말지 결정은 했고?

민영기는 다시 물었다. 후배 유태일이 이번 같은 기회를 놓치는 걸 원치 않는데다, 그가 길게 고민하지 않는 성격이란 것도 잘 알고 있기 때문이었다.

"예. 문자 보내야겠습니다. 선배님, 조만간 또 전화드릴게요."

―그래. 수고.

민영기는 원하는 대답을 듣자 담백하게 전화를 끊었다. 유태일은 남녀 주인공으로 결정한 이도원과 차지은에게 직접 문자를 작성했다.

이도원은 휴대폰을 보고 입이 귀에 걸렸다.

유태일 감독에게서 온 문자 내용은 다음과 같았다.

함께 작업하게 돼서 기쁩니다. 오늘 오후 6시 전에 메일로 통 대본 발송해 줄 테니, 문자로 메일 남겨주세요. 대본 리딩 시간은 다음 주인 6월 13일 토요일 오전 10시에 있을 예정이며, 장소는 오디션 봤던 중영대학교 301동 아트센터 5층 507호입니다.

                    *   *   *

'내가 유태일 감독 작품에 들어가다니.'

이도원은 감회가 새로웠다.

그는 다달이 한 번씩 무료 진료가 약속되어 있던 것이 생각나 미래정신과의원으로 가던 길이었다. 한 시간 정도 걸려 동네에 도착한 이도원은 병원 입구부터 마음이 편안해지는 느낌을 받았다. 매달 무료진료를 약속한 차수희의 배려 때문인지, 외모만큼이나 예쁜 마음씨가 느껴지기 때문인지 확실하진 않았다.

"살다 보면 가끔은. 그래, 따뜻한 사람들을 만나. 세상이 살만하다고 느끼지."

이도원은 독백 대사를 읊듯 콧노래처럼 중얼거렸다. 유태일 감독과의 인연이 이어진 오늘은 그의 삶 중에서 손에 꼽을 수 있을 만큼 기쁜 날이었다. 마음은 붕 떠 있고 머리로 피가 몰려 손발이 차가워졌으며 심장은 이유 없이 두근거렸다.

"이도원 환자분! 들어가세요."

간호사의 부름을 들은 이도원은 진료실로 들어갔다. 그곳에는 초승달처럼 휘어진 눈웃음과 보조개가 예쁜 차수희가 기다리고 있었다.

"거의 세 달 만이네요."

"그동안 바빠서요."

이도원은 편하게 등을 기대고 앉았다. 그를 유심히 관찰하던 차수희가 물었다.

"전과는 태도가 사뭇 다른데요? 기쁜 일이 있나 봐요?"

"기쁜 일도 있고… 전보다 편해졌죠."

이도원은 씨익 웃으며 말을 이었다.

"더 자세히 이야기하면 독백 대회에서 우승했고, 방송국 오디션을 봤고, 영화 오디션을 봤어요. 그리고 학교생활을 하며 겪던 작은 소란도 해결했죠."

개인적인 일들을 낱낱이 떠드는 행동은 사생활에 방어적인 태도로 일관하던 이도원에게 상당히 이례적인 일이었다. 차수희는 그런 사실을 모두 알진 못했지만 그의 분위기가 달라졌다는 것 정도는 파악할 수 있었다.

"좋은 기회들이 있었네요. 그만큼 도원 학생도 바뀐 것 같고요. 처음 봤을 때 많이 불안해 보였거든요. 고슴도치 같다고나 할까?"

의사라 그런지 과연 날카로웠다. 짧은 만남만으로 그 당시 이도원의 마음 깊이 자리 잡은 본질을 파악한 것이다. 그는 연속적으로 일어난 비상식적인 일들에 잔뜩 곤두서고 혼란스러운 상태였다. 일장춘몽을 꾼 듯 언제 다시 죽음이 찾아올지, 누군가 그의 비밀을 알아채면 어떤 일이 벌어질지 아무것도 알 수 없었다. 혹은 무섭도록 증폭된 연기 감각 때문에 자아를 잃고 자멸할지도 몰랐기에 불안감은 더 컸다.

'고민한다고 답이 나오는 일은 아니니까.'

이도원이 사고로 목소리를 잃고 죽음까지 직면하고 나서 느낀 이치들이었다. 불행은 현실에 안주할 때 찾아오며 달아나려 할수록 더욱 숨통을 옥죄어온다. 그나마 그가 긍정적인 성격이 아니었다면 현실에 적응하지 못했을지도 몰랐다.

이도원이 자조적으로 웃으며 말했다.

"비밀을 간직한다는 건 괴로운 일이죠."

"비밀이 있나요?"

차수희의 질문에 그는 책상 위에 쓰러져 있는 액자를 보았다. 고의로 뒤집어 놓은 듯 반듯하게 뒤집혀 있었다.

이도원이 물었다.

"선생님은요?"

그 눈길을 따라 액자를 본 차수희가 미미하게 웃었다.

"물론 저도 비밀이 있죠."

"궁금하긴 하지만 실례될 것 같으니 안 물을게요."

"그냥 관계적인 문제예요. 작든 크든 인간관계에는 문제들이 생기죠."

차수희는 애매모호하게 대답하며 액자를 세웠다. 그 안에는 그녀의 부모님으로 보이는 어른 남녀와 어린 자매가 있었다. 딱 봐도 가족사진이란 걸 알 수 있었다.

차수희가 이어서 말했다.

"그럼 본론으로 돌아가서, 도원 학생이 겪고 있는 변화에 대해 이야기해 볼까요?"

이도원은 고개를 저었다.

"아니요. 오늘은 저를 모르는 사람을 만나서 편안한 대화를 나누고 싶었어요. 그뿐이에요."

"슬픈 얘기네요. 친한 사람일수록 편안한 게 일반적인 생각인데. 도원 학생은 반대라니."

"때로는 모르는 사람이 편할 때도 있잖아요?"

이도원이 빙긋 웃으며 묻자 차수희는 고개를 끄덕였다. 누구나 그런 순간들이 있기 때문이다.

"진료를 받으러 오라고 했는데 수다를 떨러 올 줄은 몰랐어요. 아, 물론 나쁘다는 뜻은 아니에요. 어떤 의학적인 치료보다 필요한 일이니까요."

이도원은 막상 마주 보고 앉으니 무슨 말을 꺼내야 할지 몰랐다. 그러고 보면 그녀에게 말할 수 있는 범주도 주변 사람들과 똑같았다. 다만 언제든 이곳에 오면 이야길 들어줄 완벽한 타인이 있다는 편안함에 이끌려서 오게 됐다. 마음을 의지할 곳이 생긴 건 모두 차수희가 베푼 호의 덕분이었다.

"특별한 문제가 생기지 않는 한 치료 대신 가끔 이렇게 대화를 나누고 싶군요. 선생님은 저한테 아무것도 묻지 않거든요."

"그래요. 이 병원이 망하지 않는 이상 전 매일 다섯 시까지 이곳에 있으니까 언제든 와요. 물론 환자가 있으면 기다려야겠지만. 월세는 내야죠."

그녀의 말에 이도원은 피식 웃었다.

"이제 됐어요. 그럼 가보겠습니다."

"그래요."

차수희의 대답을 들은 이도원은 가방을 메고 일어나 꾸벅 인사를 했다. 그는 진료실을 나가기 전 말했다.

"감사합니다."

짧지만 진심이 담긴 한 마디였다.

이도원이 나가자 차수희는 책상에 있는 소설책 〈마지막 잎새〉를 보았다. 그녀는 책을 펼쳐 들었지만 얼마 못 가 덮었다.

"영 애 같지가 않아."

이도원은 특이한 아이였다. 애어른이란 말은 철이 빨리 든 아이를 말하는 법인데, 이도원은 어른의 느낌을 고스란히 가지고 있는 열일곱 소년이었다.

'그걸 뭐라고 표현해야 하지?'

차수희는 웨이브가 들어간 긴 머리카락을 쓸어 넘기며 고개를 저었다.

한편 이도원은 집으로 가는 길에 차수희에 대해 생각했다. 그가 본 그녀는 매우 총명하고 친절한 여성이었다.

'이상하군. 그 병원에만 가면 마음이 편해지니. 서른일곱까지도 병원을 무서워했었는데.'

이도원은 알쏭달쏭한 느낌의 원인을 찾지 못한 상태로 집에 도착했다. 그는 컴퓨터를 켜고 이메일 화면에 접속했다.

"깨끗한데?"

타임 슬립 전 그의 메일함은 꽤나 너저분했다. 메일 보관함에는 수많은 시놉시스와 대본이 있었다. 그마저도 목소리를 잃은 뒤에는 광고메일들만 주를 이루었지만. 이제 메일함은 그의 과거처럼 깨끗이 청소되어 있었다.

잠시 감상에 젖었던 이도원은 유태일이 보낸 메일을 열어보았다. 메일 안에는 시나리오와 통대본이 첨부되어 있었다. 기나긴 장편영화의 자료들이었다.

"어디 보자."

이도원은 떨리는 마음으로 시나리오와 대본을 출력했다. 프린트기가 고물이라 모두 나오려면 십 분 정도가 소요될 터였다. 이도원은 이 영화가 어떻게 될지 미래를 알고 있었다.

'아마 이때부터 엄청 떴었지.'

맨 앞장에 적힌 제목이 보였다.

〈가제 : 우리〉

가제대로 개봉하진 않았던 것으로 기억했다. 이도원은 대본이 나오는 대로 정리해 두었다. 분량이 많기 때문에 그때그때 정돈해야만 했다.

그 와중 잠깐잠깐 본 내용은 그야말로 클리셰(Cliche : 상투적인)에 틀어박혀 있었다.

나쁜 짓만 골라 하던 여주인공이 어느 날 잠복해 있던 심장병으로 쓰러지게 된다. 그녀는 부모님의 죽음과 관계돼 오빠를 증오한다. 하지만 남주인공인 오빠는 어떻게든 그녀를 바로잡으려 하고, 나아가 그녀가 쓰러지자 수단과 방법을 가리지 않고 새 심장을 구하려 한다. 그 과정에서 오해를 풀고 화합하게 되는 남매의 이야기였다.

'이게 영화제에서 상을 휩쓸었던 시나리오.'

이도원은 이 작품이 여러 협회상과 관객상을 수여했던 것을 기억했다. 크게 알려지진 않았지만 전문가들 사이에서는 화제작으로 떠올랐다. 기대되는 심정으로 대본을 처음 본 이도원의 첫 감상은 그가 맡은 배역이 어려운 인물이라는 것이었다.

"감정 변화가 많고, 그때그때 굵직굵직한 연기가 필요해. 근데 또 대사는 구구절절하지 않단 말이지."

감정 골이 깊은 인물은 연기하기가 어렵다. 말이 없으면 더더욱 전달하기 난해하다. 하지만 이도원으로서는 가장 자신 있는 분야였다. 그는 씨익 웃으며 말했다.

"침묵은 어떤 대사보다 강렬하다."

*　　　　*　　　　*

일주일은 바람같이 지나갔다. 장편영화의 통대본을 외우기에는 턱없이 짧은 시간이었다.

한 시간 거리를 지하철을 타고 가서 흑석 역에 내린 이도원은 중영대학교 301동 아트센터 5층 507호로 갔다.

유태일 감독은 미리부터 강의실에 와 있었다. 그리고 한 명의 여자아이가 더 있었다.

'삼십 분이나 일찍 왔는데.'

이도원은 속으로 생각했다.

유태일 감독은 그를 보며 말했다.

"일주일 만이네요. 이쪽으로 와서 앉으세요."

이도원은 그 말에 따라 여자아이의 맞은편에 앉았다. 박시한 맨투맨 티에 청바지를 입고 포니테일로 머리를 묶은 여자아이가 그를 보더니 살짝 웃더니 고개를 숙였다.

'진짜 예쁘게 생겼네.'

이도원은 감탄하지 않을 수 없었다. 한국인 소녀지만 마치 오드리 헵번의 어린 시절을 보는 듯했다. 미래에서 온 이도원은 그녀가 누군지 어렵지 않게 알 수 있었다.

'내가 차지은과 마주 보고 있다니.'

이십 년 뒤, 눈앞의 중학생은 전성기를 맞이한 삼십 대 여배우가 된다. 워낙 뛰어난 외모 덕분인지 광고 개런티는 천정부지로 치솟지만, 연기력 논란에 시달리는 상황이었다.

이도원은 그 시대를 살아본 대한민국 남자로서 사인이라도 받아두고 싶은 심정이었지만 유태일 감독은 생각할 틈을 주지 않았다.

두 배우가 각자 대본을 꺼내는 걸 보며 그가 말했다.

"두 사람은 크랭크인(Crank in : 촬영 개시)부터 쭉 함께할 겁니다. 함께 등장하는 씬(Scene : 장면)이 영화 전체에 많은 부분을 차지하니까요."

그는 깍지를 낀 손으로 턱을 괴었다.

"촬영을 하면서 간단한 문제들이 생길 겁니다. 차지은 배우님은 아역으로 종종 드라마 출연을 해왔지만 이도원 배우님은 무대 경험만 있고 촬영 경험은 없는 걸로 알고 있으니까요."

유태일 감독은 이도원의 호칭을 학생에서 배우님으로 바꾸어 불렀다.

"예. 그렇습니다."

이도원은 기분 상해하지 않고 대답했다. 그는 사실에 입각한 지적에 관해서는 겸허하게 받아들이는 편이었다. 더구나 호흡을 맞춰야 하는 상대 배우끼리는 서로에 대해 잘 알수록 좋았다.

유태일 감독은 날카로운 시선으로 바라보며 말을 이었다.

"촬영 스태프가 배우를 배려하고 존중하는 만큼, 배우도 스태프를 배려해야 합니다. 현장에서 배우가 스태프를 배려한다는 건 원활한 촬영이 가능하도록 알아서 움직이는 걸 의미하죠. 물론 스태프들과 차지은 배우님이 도와주겠지만, 본인 스스로 많은 공부를 해야 할 겁니다."

"예, 알겠습니다."

고개를 끄덕인 유태일 감독이 이번에는 차지은을 바라보았다.

"차지은 배우님은 현장에 대한 감각을 제외하고 모든 것을 버리세요. 현장에서 어떤 커뮤니케이션이 이루어졌는지는 들었습니다. 비주얼이 중요한 드라마 특성상 차지은 배우님을 현장에서 가르쳐서라도 출연을 시켰을 겁니다. 하지만 저는 배우에게 틀에 박힌 연기를 요구하지 않습니다. 가르치지도 않고요. 아마 차지은 배우님은 이도원 배우님에게 많이 배우게 될 겁니다. 두 사람이 서로 부족한 부분을 채워주길 기대하고 있습니다."

차지은은 흔들리는 표정을 숨겼다. 그러나 이도원은 찰나의 순간을 포착했다.

'자존심 상할 만하지. 어디 가나 알아보는 유명 아역 배우가 세 살 위의 무명 고등학생한테 배우란 소리를 들었으니.'

유태일 감독이 물었다.

"알겠죠?"

"네. 감독님."

차지은은 생각 외로 덤덤하게 대답했다. 그녀의 반응을 유심히 관찰하던 이도원은 내심 놀랐다.

'원래 예의 바른 건가? 그렇다고 해도, 잘 나가는 아역 배우인 차지은을 졸작에 섭외했다는 건 벌써부터 관계자들 사이에

서 유태일 감독의 장래성이 주목받고 있다는 뜻이겠지.'

그런 생각을 꿈에도 모르는 유태일 감독이 상황을 정리했다.

"그럼 리딩을 시작해 봅시다. 콘티는 현장에서 나눠주도록 하죠."

그는 의자에 등을 기대고 시야를 넓히며 짤막하게 말했다.

"대본 봐주시고, 7씬부터 연기해 주세요."

침묵 속에서 대본 넘기는 소리가 들려왔다. 이도원은 그 소리가 들릴 때마다 심장이 세차게 뛰었다. 그리고 마침내 차지은의 앙칼진 목소리가 강의실을 울렸다.

"내 친구들한테는 왜 그러는데? 나한테 신경 좀 끄라고!"

대사는 제법 자연스러웠지만 발성이나 표정이 엉성했다.

한편 이도원은 내색하지 않고 대사에 집중했다.

"두 분의 죽음이 아직도 내 탓이라고 생각하니?"

낮은 목소리가 강의실을 가득 채웠다.

'언제 들어도 소름 돋는군.'

유태일 감독은 다시 한 번 감탄했다. 큰 격차에 당황할 법도 한데 차지은은 내색하지 않고 자신의 페이스를 유지했다. 그녀가 일찍부터 현장에 뛰어들어 배운 노하우였다.

"그럼 아니라고 생각해? 양심도 없지."

차지은의 연기는 굉장히 틀에 박혀 있고 표면적이었다. 그녀는 통속적인 불량아를 연기하고 있을 뿐, 어떤 감흥을 불러일으키기 부족했다. 하지만 이도원은 개의치 않고 호흡을 맞췄다.

"널 볼 때마다 마음이 찢어진다. 우리가 왜 이렇게 됐는지……."

이도원은 말을 잇지 못했다. 서늘한 비수에 찔린 듯 표정만 일그러졌다. 그 모습을 보던 유태일의 눈에 이채가 감돌았다.

'호흡을 이어가고 있어.'

대사가 끝났음에도 호흡을 늘어뜨린다. 호흡이 이어지는 동안은 관객들의 감정도 이어질 것이다. 대사가 끝났는데도 상대 배우인 차지은이 기다리고 있다는 사실만 봐도 알 수 있었다.

그녀가 다음 대사를 이어갔다.

"다 너 때문이야. 너만 없었으면 아무 일도 일어나지 않았어. 그럼 엄마, 아빠도! 나도! 우리 가족 모두 이렇게 되지 않았을 거야. 내가 뭐 어때서? 너 같은 위선자보단 나아."

차지은의 대사가 안정감을 찾았다. 유태일은 그것이 이도원의 영향력임을 알 수 있었다.

'상대 배우가 연기를 잘하면 저절로 감정이입이 되겠지. 하지만 아직 부족해. 뭔가 더 보여봐라. 이대로는 이도원의 연기에 차지은이 먹힌다. 영화를 망치게 돼.'

그의 예상대로 이도원은 앞선 차지은의 대사를 날려 버릴 만큼 훌륭한 연기를 보여주기 시작했다. 그는 차지은이 눈앞에 있는 듯 손을 뻗었다.

밀치는 그녀의 손목을 잡아채는 시늉을 하며 분노와 슬픔, 안타까움이 활활 타는 눈빛으로 대사를 씹어뱉었다.

"당장 나가."

그 대사를 받은 차지은은 심장에 비수가 꽂히는 느낌이 들었다. 그녀는 순간 흐름을 잃고 대사를 칠 타이밍을 놓쳐 버렸다. 그때 유태일 감독이 두 사람의 연기를 잘랐다.

"컷."

그는 말을 이었다.

"두 사람 모두 나가서 바람 좀 쐬고 다시 합시다. 삼십 분 동안 대화도 하고, 좀 친해진 다음 계속하죠."

유태일 감독은 차지은을 위해 한 가지 꾀를 냈다.

'좀 친해져서 편하게 연기를 하게끔 만들어야 돼. 그렇지 않으면 오늘 밤새 해도 안 끝난다. 이도원한테 압도당해 계속 실수를 범하겠지.'

그는 두 사람이 리딩장을 나가는 걸 보며 고개를 흔들었다.

"프로 배우들의 연기를 보며 현장에서 자란 차지은이 십 분도 안 돼서 무너지다니… 이도원이 괴물은 괴물이야."

물론 이도원의 연기가 현역 배우들 이상이라고 단언할 수는 없었다. 분명한 것은 그가 현장을 장악하고, 보는 사람을 압도하는 연기를 펼친다는 사실이었다.

　남녀 모두 예쁘고 잘생긴 이성을 볼 때 호감을 품는다. 이건 모든 사람의 몇 안 되는 공통점일 것이다. 그런 의미에서 이도원이 기억하는 차지은은 한국 남성들의 호감을 독차지하는 여성이었다.

　'하필이면 내 상대역이 차지은이라니.'

　그녀와 파트너가 된 것은 좋은 소식이었다. 반대로 나쁜 소식도 있었다.

　'정확하진 않지만 유태일 감독의 데뷔작에는 차지은이 나오지 않았어.'

　미처 지금까지 생각하지 못하던 점이었다. 이도원에게 이것만큼 중요한 사안은 없었다.

　'과거가 바뀌었다?'

　그는 자문했다. 문제는 과거가 바뀌었다면, 어디서부터 어디까지 바뀌었는지 알 수 없다는 것이다.

　'나부터 살아왔던 세월을 통째로 뜯어고치고 있는데, 아무것도 바뀌지 않을 리가 없지.'

　이도원은 침착하게 날뛰는 마음을 다스렸다.

　이성적으로 생각했을 때 이미 많은 부분이 달라졌을 수도 있었다. 당장은 그의 삶이 긍정적인 방향으로 흐르고 있었지만, 자신도 모르는 새 부정적으로 바뀐 부분이 있을지도 몰랐다.

그런 생각을 하면 미지에 대한 두려움이 그를 덮쳤다.

"저기, 제 이름은 차지은이에요. 나이는 열네 살이고요."

이도원은 불쑥 들려온 목소리에 정신을 차렸다.

"아, 난 열일곱 살이고 이름은 이도원."

대부분의 성인은 몇 살 차이든 초면에 존대를 하지만 아이들은 달랐다. 고등학생은 중학생을 보며 반말을 하는 것이 자연스럽다. 차지은 역시 기분 나쁜 내색을 하지 않았다.

"연기 엄청 잘하시던데요?"

"고맙다."

"오빠도 회사 있어요?"

차지은의 입장에서 볼 때 이도원이 아직도 회사가 없다는 건 납득하기 어려운 일이었다. 대부분의 연기를 하는 학생들은 실력만 되면 오디션을 보고 회사에 들어가기 때문이다. 타임 슬립을 하고 한동안 정신없이 지내던 이도원은 내심 생각했다.

'어쨌든 배우로서 활동하려면 혼자보다 회사에 들어가는 편이 낫긴 하지.'

그는 차지은을 요목조목 뜯어보았다. 그녀는 긴 속눈썹 아래 크고 맑은 눈으로 이도원을 빤히 바라보고 있었다. 아직 어린 차지은을 보고 떠오른 기분은 깨물어줄 만큼 귀엽다는 것이었다.

이도원이 대답했다.

"회사는 없고, 넌 드라마에서 많이 봤어. 연기만 잘했어도 열성 팬이 됐을 텐데."

그는 진심 반 농담 반으로 말했다.

20년 뒤 그녀가 연기를 잘했다면 이도원은 전생에서 팬이 되었을 것이다. 하지만 그녀는 번번이 연기 논란에 휩싸일 정도로 연기력이 늘지 않았고, 그저 대한민국에서 최고로 예쁜 여배우로 남았다. 이도원의 생각을 짐작조차 못하는 차지은은 눈을 치켜뜨며 말했다.

"나쁜 사람 같진 않았는데 실망이네요."

뾰로통한 기색을 감추지 못하는 그녀를 보며 이도원이 피식 웃었다.

"난 네 연기력이 더 실망이다. 그래도 여주인공 아역으로 나오기에 얼마나 잘할까 기대했는데."

"제가 못하는 게 아니고, 오빠가 잘하는 거거든요?"

차지은은 발끈했다.

"그리고 배우한테 연기 못한단 말처럼 실례되는 말이 어디 있어요? 초면에 진짜 예의 없네."

"그러네."

이도원은 순순히 인정하며 말을 이었다.

"내가 좀 직설적인 성격이라. 그리고 만약 실제로 만나게 되면 꼭 이 말을 해주고 싶었거든."

타임 슬립 전 차지은은 방송에서 연기력 논란에 대해 스트

레스 받는다는 말을 자주 했다. 이도원은 그녀와 연기 호흡을 맞추게 된 이상 도움을 주고 싶었다. 하늘이 내린 외모를 가진 그녀가 훌륭한 연기를 펼치는 모습을 보고 싶었기 때문이다.

차지은 같은 부류는 자존심이 셌다. 어려서부터 아역이었으니 학교에서도 친구들이 모두들 가깝게 지내려고 아우성이었을 테고, 남모를 우월감도 느낄 수밖에 없을 것이다. 따라서 그녀가 인정한다면 칭찬보다 직설적인 충고가 약이 될 터였다. 이런 내막을 전혀 모르는 차지은은 내심 생각했다.

'아오, 열 받아. 지는 뭐 얼마나 잘한다고…….'

잘하긴 잘했다. 그녀는 인정하지 않을 수 없었다. 그래서 소심한 복수를 하기로 마음먹었다.

"흥. 현장에서 뭐 가르쳐 주나 봐요."

차지은은 혀를 쏙 내밀고는 성큼성큼 자리를 떠났다. 먼저 강의실로 향하는 뒷모습을 보며 이도원은 자판기에서 생수 세 병을 뽑았다. 리딩을 하면 침이 마르기 때문이다.

'충고를 받아들이는 성격이면 이제 좀 달라지겠지.'

이도원은 그녀가 귀여워서 겸사겸사 오지랖을 조금 부려본 것이다.

한편 한발 먼저 강의실로 돌아온 차지은은 잔뜩 뿔이나 있었다.

'지가 뭔데 잘한다, 못한다 평가해?'

고집은 그렇게 말하고 있었지만 이성은 충고를 받아들이라고 말하고 있었다. 그녀 역시 어렴풋이 자신이 연기를 못한다는 사실을 알고 있었다. 웃고만 있어도 섭외가 들어오는 그녀에게 대놓고 말하는 사람은 없었지만 스스로 느껴지는 것이다.

'나도 노력하고 있다고. 그래서 노개런티로 출연하겠다고 조른 거라고!'

차지은은 황소고집을 부려가며 간신히 소속사 대표의 허락을 받고 출연했다. 그런데 막상 생전 처음 보는 사람한테 연기 못한다는 소리를 듣고 나니 울컥했다. 문제는 이도원의 무례함에 기분이 나쁘지 않다는 것이다.

'뭐야? 언제 봤다고 아빠미소는.'

그녀는 그의 얼굴을 떠올렸다. 표정만 봐도 악의가 없다는 걸 알 수 있었다. 오히려 그녀를 안타깝게 생각하고 걱정하는 마음이 느껴졌다.

머지않아 이도원이 강의실 안으로 들어왔다.

그는 유태일 감독에게 먼저 물병을 챙겨주었다. 다음으로 차지은의 뒤에 서서 물병을 내려놨다.

"아깐 미안."

이도원이 씨익 웃으며 말했다. 그를 올려다 본 차지은은 얼굴이 화끈 달아올랐다.

'잘생겼네.'

병 주고 약 준 그는 제자리에 가서 앉았다. 잠깐의 휴식이 지나고, 두 사람을 관찰하던 유태일 감독이 말했다.

"꽤 친해진 것 같군요. 그럼 다시 리딩을 시작하죠. 그전에 했던 7씬 마지막 대사부터 갑니다. 이도원 배우님부터."

고개를 끄덕인 이도원이 아까 전과같이 무겁고 날선 목소리로 말했다.

"당장 나가."

흐름이 끊겼던 부분이었다.

차지은은 이전과 달리 이도원의 감정을 자연스럽게 받아들였다. 그리고 반사적으로 감정을 쏟아냈다.

"그래! 이게 네 본색이지! 제발 그 위하는 척, 가식적인 얼굴로 나한테 말하지 마."

이 다음은 그녀가 나가는 장면이었다. 지금은 현장이 아닌 리딩이었기에, 유태일은 다음 씬으로 넘어갔다.

"다음 13씬. 동생이 쓰러지는 걸 목격하는 장면, 이도원 배우님만 해보죠. 차지은 배우님은 15씬 병원에서 독백 장면으로 넘어가면 됩니다."

그 뒤로 리딩은 끊기지 않고 계속됐다. 꼬박 두 시간 동안 리딩을 하고 나서 지친 얼굴로 강의실을 나왔다.

유태일 감독이 이십 분 휴식 시간을 준 것이다. 복도 소파, 이도원과 나란히 앉은 차지은이 말했다.

"유태일 감독님이 깐깐하고 빈틈없다는 얘기는 들었지만 드라마 리딩보다 힘든 것 같아요."

반면 이도원은 이 상황이 즐겁고 행복했다. 그러나 차지은의 마음을 이해하지 못하는 건 아니었다.

'그래도 활동을 일찍부터 시작해서 그런가. 보통 애들이라면 다 지쳐서 풀어졌을 텐데, 아직도 눈은 반짝반짝 하네.'

대견한 마음이 든 그가 차지은의 어깨를 두드리며 말했다.

"힘내. 끝나고 밥 사줄게."

*   *   *

이도원의 식사 제안은 너무나 자연스러웠다. 차지은은 그 말을 듣고 나자 배가 고팠다. 하지만 결과적으로 그녀는 허기를 두 시간 더 참아야 했다. 첫 리딩만 네 시간에 걸쳐 진행된 것이다. 리딩이 끝나자 손목시계로 시간을 확인한 유태일 감독이 두 사람에게 말했다.

"밥 먹으러 가죠."

"드디어!"

차지은의 얼굴이 활짝 폈고 이도원도 반색했다. 그러나 그때 차지은의 휴대폰이 울렸다.

"여보세요? 네… 아, 네!"

그녀는 따라오던 걸음을 멈추더니 유태일 감독에게 말했다.

"감독님, 저… 라디오 스케줄이 잡혔다고 해서 먼저 가봐야 할 것 같아요."

"음, 그래요. 중요한 내용은 문자로 보내죠."

차지은이 이도원에게도 손을 흔들며 인사했다.

"오빠, 저 가요. 오늘 수고하셨습니다."

"그래."

이도원은 바쁜 스케줄 탓에 고생할 그녀가 조금 안쓰러웠다.

'어린 나이에 고생이네.'

차지은 또래라면 다들 용돈 받으면서 학교 다닐 나이었다. 반면 그녀는 웬만한 성인들도 견디기 힘든 스케줄을 소화하며 냉혹한 방송계에 적응하고 있는 것이다. 그 표정을 본 유태일 감독이 피식 웃었다.

"예쁜 여배우랑 저녁 먹을 기회를 놓쳐서 아쉽죠?"

그는 이도원의 생각을 다른 방향으로 해석했다. 하긴, 열일곱 살 남고생의 생각을 짐작한 것치곤 정확했다.

'예쁜 여배우라기에는 아직 너무 어려서 그렇지.'

이도원은 마주 웃으며 고개를 끄덕였다. 그들은 나란히 중영대학교 인근 중식집으로 갔다. 유태일 감독이 민감한 부분이라는 듯 조용히 말을 꺼냈다.

"개런티는 지급할 거예요. 차지은 배우님과 이도원 배우님에게 똑같은 금액으로 드릴 겁니다."

뜻밖의 소식이었다.

보통 외부에서 배우를 섭외하면 학생 작품도 개런티를 지불하긴 하지만, 유태일 감독은 이때부터 이름이 어느 정도 알려진 인물이었다. 그가 연출하는 졸업 작품 겸 영화제 출품작이라면 너도나도 노개런티로 참여하겠다고 달려들 만했다. 결론적으로 차지은이야 유명 아역 배우니 이해가 가지만, 이도원까지 똑같은 개런티를 준다는 건 파격적인 제안인 셈이었다.

"생각지도 못했는데요."

그가 솔직하게 말하자 유태일 감독이 미미하게 웃었다.

"차지은 배우님이 노개런티로 출연한다고 해줬기 때문에 가능한 겁니다. 개런티는 촬영이 끝나면 지급할 거고, 각각 오십만 원 정도 생각하고 있습니다."

이도원은 조금 의외였다. 영화 자체도 학생 졸업 작품인데다, 이도원이 무명이란 것까지 감안하면 꽤 큰 금액이었다.

"감사합니다."

그는 얼떨떨하게 대답했다.

유태일 감독은 고개를 끄덕였다.

"문자로 공지하겠지만, 첫 촬영은 6월 20일부터 들어갑니다. 평일 나이트(Night : 야간)씬 먼저 찍고 주말에 데이(Day : 낮)씬을 찍을 거구요. 방학이 되면 본격적으로 부족했던 부분들을 촬영할 겁니다."

이도원은 직접적인 촬영 얘기가 나오자 흥분됐다. 무척 바빠지겠지만 그만큼 보람 있고 행복한 나날이 될 것이다.

'연기가 가장 즐거운 곳은 현장이지.'

또한 연기가 가장 빨리 느는 곳도 현장이었다.

이도원은 찌릿찌릿한 느낌을 받으며 대답했다.

"기대되네요."

유태일 감독이 섬뜩한 웃음을 지었다.

"전 현장에서 배우들한테 욕을 많이 먹습니다. 대부분 너무 막 굴리는 것 아니냐는 불만이죠. 하지만 촬영이 끝날 때마다 다시 결심합니다. 모두가 만족할 만한 결과물을 위해서라면 그 이상도 할 수 있다고."

"소문은 들었습니다."

이도원이 마주 웃으며 말했다.

유태일 감독은 어깨를 으쓱였다.

"차지은 배우님이 말해줬나 보군요. 이도원 배우님에게는 기대가 큽니다. 나이에 비해 연기 실력이 발군이니까요. 영기 선배가 왜 소개했는지 충분히 납득이 갑니다. 하지만 그만큼 걱정도 돼요. 한 사람이 너무 튀면 나머지가 죽으니까요."

그 말을 들은 이도원은 고개를 끄덕였다. 그 자신도 염려되는 부분이었다. 아직 모든 감정을 능숙하게 요리할 수 없었다. 타임 슬립 후 갑작스럽게 깊어진 감정 때문에, 기술적으로 감정을 다루기까지 많은 노력이 필요할 터였다.

"명심하겠습니다."

대답한 그가 물었다.

"선배님이라고 하신 조감독님 번호를 좀 알 수 있을까요? 감사 인사도 못 드렸네요."

"아, 당연히 해야지요. 식사 다 하고 문자로 보내주겠습니다."

"네!"

이도원은 유태일, 민영기, 이상백을 차례로 떠올렸다. 민영기를 빼면 타임 슬립 전에도 인연이 있었던 사람들이었다. 그는 이상백 교수를 찾아가 봐야겠다는 생각이 들었다.

'그러면 내 연기를 발전시키는데 도움을 줄 수 있을지 모른다. 유태일 감독의 작품을 망칠 수는 없어.'

이도원은 흥분 못지않은 부담감도 느꼈다. 적어도 타임 슬립 전 유태일 감독의 데뷔작에 나왔던 남자 주인공보단 훌륭한 연기를 보여야 한다는 생각이었다.

문자가 왔다. 컴퓨터 앞에 앉아 〈방송, 영화, 드라마 대본 커뮤니티〉 가입을 하고 있던 이도원은 눈살을 찌푸렸다.

모해?

박아현이었다. 그녀는 그에게 종종 이런 식으로 문자를 보내고는 했다. 답장을 안 해도 주기적으로 연락이 왔다. 이도원이 문자 화면을 넘기는데, 이번에는 전화가 왔다. 그는 마지못해 박아현의 전화를 받았다.

"여보세요?"

왜 답장 안 해?

"바빴어. 앞으로도 바쁠 예정이고."

이 정도면 칼같이 잘랐다고 해도 무방했다. 그럼에도 그녀는 전혀 개의치 않고 말했다.

—우리 학교에서 이번에 예술제 하는데 올래? 학교 축제는 9월 인데 우리 과에서 공연하거든.

이도원은 귀가 번쩍 뜨였다. 배우에게 연기를 하는 일만큼이나 중요한 것이 보는 일이었다. 하지만 어떤, 누구의 연기를 보느냐가 관건이었다.

"너 학교 어디라고 했지?"

—두림예술고등학교. 올래? 나 이번에 일 학년 공연 주연 맡았거든.

두림예고는 아이돌이 많은 학교로 유명했다. 교복이 가장 예쁜 학교기도 했고, 교복값만 들어도 사립에 학비가 비싸다는 걸 유추할 수 있는 곳이었다. 그만큼 학교에서 연기과, 모델과, 실용음악과, 연출과 할 것 없이 많은 지원을 했다.

이도원이 궁금한 건 이 자유분방한 고등학교 학생들의 실력이었다. 독백 대회에서 입시생들의 독백 실력을 봤다지만 상대역이 있는 공연은 또 다를 터였다.

그가 대답했다.

"갈게. 며칠이야?"

―어머, 웬일로? 6월 15일, 16일, 17일! 아무 때나 저녁 여섯 시까지만 오면 돼!

"알겠다. 그럼."

이도원은 전화를 끊어버렸다. 그는 하루 전에 연락한 박아현을 생각하며 고개를 절레절레 저었다.

'여전히 즉흥적이야.'

다행히 그땐 다른 스케줄이 없었다.

"누구랑 가지?"

잠깐 박서진이 머리에 떠올랐다. 하지만 이내 고개를 저었다.

'혼자 가고 말지.'

이도원이 알고 있던 과거와는 달리 박서진은 연기를 하지 않았다. 시간제 강사까지 연루되면서 학교 측은 사건에 대해 알게 되었고, 문제의 근원이 됐던 연극부의 존재를 영구적으로 폐쇄해 버렸다. 결국 연극부를 만들겠다는 이도원의 목표는 좌절된 것이다. 하지만 이미 유태일 감독의 졸업 작품에 섭외된 마당에, 그는 크게 개의치 않았다.

"음?"

〈방송, 영화, 드라마 대본 커뮤니티〉에 올라온 동영상 제목이 눈에 띄었다.

두림예술고등학교 연기과 3학년 수련회 공연, 연기력 폭발!

그는 피식 웃으며 중얼거렸다.

"이거 보면 굳이 안 가도 되겠네."

이도원은 동영상을 클릭하고 시청했다. 화질은 좋았지만 어두워서 배우의 얼굴은 보이지 않았다. 수련회 당일 두림예술고등학교 학생이 객석에서 직접 찍은 영상인 듯했다.

그들이 한 연극은 〈이(爾)〉였다.

그 내용은 연산군 시절, 성희의 대상으로 연산군의 총애를 받았던 궁중배우 공길과 그를 사랑한 장생, 그를 질투한 연산군의 후궁 녹수의 이야기를 다루고 있었다.

마침내 영상에서 깨끗한 음질의 대사가 흘러나왔다. 연극의 후반부, 공길이 죽음을 앞둔 장면이었다.

"왕이여, 나 죽으면 한강수에 던져주오."

심금을 울릴 만큼 애절한 목소리였다.

"흘러가다 바람맞아 살랑살랑 춤도 추고 너울너울 재주도 넘고 흘러흘러 아주 물이 되게. 저 죽은지도 모르게⋯⋯."

동영상으로 접했는데도 불구하고 큰 여파가 불어왔다. 심지어 이도원은 살랑 바람에 흔들리는 나뭇잎이, 너울너울 춤추는 나비가, 잔잔하게 흐르는 강물이 된 기분이 들었다. 그리고 공길이 말끝을 흐리는 부분에선 가슴이 답답해질 지경이었다.

찰나지간이 지난 뒤 공길이 말했다.

"왕이여, 부탁이니 나를 위해 한 번만 더 웃어주오."

목소리 자체도, 발성과 호흡도 한 톨의 어그러짐 없이 완벽했다. 동영상 속의 객석은 숨을 죽이고 있었고, 연산군은 눈물을 흘리고 있었다.

이도원은 진심으로 감탄했다. 실제 객석에 있던 것도 아닌데 팔에는 소름이 돋았다. 아마 직접 보았다면 그 역시 동영상 속의 관객들처럼 넋을 놓고 있을 터였다.

'누구지?'

그는 믿기지 않는 표정으로 동영상을 두 번 세 번 더 보았다. 그리고 어딘가 귀에 익은 목소리를 계속해 들었다. 그러길 한참.

동영상 속 공길의 얼굴은 보이지 않았으나, 그의 뇌리에는 끔찍한 한 사람의 얼굴이 떠올랐다.

"설마……."

입술을 비집고 그 이름이 새어 나왔다.

"김진우?"

＊　　　　　＊　　　　　＊

2015년 6월 15일 월요일.

이도원은 두림예술고등학교가 위치한 장지 역에 도착했다. 역에서부터 많은 학생이 보였고, 학교 인근에는 예술제를 보러 온 학부모들의 자가용들이 들어차 있었다.

이도원이 예술제에 온 목적은 예술고등학교 학생들의 수준을 눈으로 보기 위해서기도 했지만, 동영상 속 김진우를 직접 눈으로 확인하자는 취지가 더 컸다.

'떨리는군.'

그는 동영상에서 김진우와 흡사한 목소리를 들었을 때 심장이 철렁했다.

전생에서 자신을 죽인 김진우에 대한 분노보다 두려움이 더 컸다. 단지 배역을 위해 살인교사를 서슴지 않았던 김진우를 떠올리면 본능적으로 분노를 덮는 공포심이 치솟았다.

곳곳에 붙은 예술제 포스터에는 상상하기도 싫은 끔찍한 김진우의 얼굴이 있었다. 김진우는 예술제연극 3학년 작품 〈리어 왕〉의 주연 중 하나였던 것이다.

"오긴 왔는데."

그는 화장실에서 거울을 보며 짝 소리 나게 양손으로 따귀를 때렸다. 긴장감이 최고조에 이르고 머리털이 곤두섰다.

'그 새끼가 날 피해야지, 내가 왜 피해?'

이도원은 마음을 단단히 먹으며 무대가 있는 강당 안쪽으로 들어갔다. 고등학교 예술제였기 때문에 따로 지정된 좌석은 없었다. 이미 많은 사람이 앞좌석을 메우고 있었고, 그는 여섯 번째 줄의 빈자리에 앉아 예술제 일정과 연극 작품 안내 책자를 보며 연극이 시작되길 기다렸다.

이곳 학생들이 준비한 〈리어 왕〉은 셰익스피어 4대 비극 중 하나였다.

"하필이면 리어왕의 에드먼드라."

이도원이 중얼거렸다.

에드먼드는 극에서 김진우가 맡은 역할이었다.

비극 〈리어 왕〉은 리어 왕이 어느 날 세 딸을 불러 영토를 나눠주며 "날 얼마나 사랑하느냐?" 묻는 것으로 시작된다. 아첨하는 두 딸에 비해 진실을 말하는 셋째 딸 코델리아를 쫓아낸 리어 왕은, 아첨하던 두 딸에게 버림받고 그제야 진실을 보게 된다. 그 과정에서 대담하고 야망으로 똘똘 뭉친 에드먼드와 대립하게 된다. 공교롭게도 이 에드먼드 역시, 김진우처럼 성공을 위해서라면 수단과 방법을 가리지 않는 인물이었다.

이십 분 정도가 지나갈 때쯤 연극이 시작됐다. 예정보다 십분 정도 지체된 셈이었다.

객석 불이 꺼지고 무대 위로 한줄기 빛이 들어왔다. 그곳에 나타난 인물은 '광대' 역할을 하는 학생이었다.

고전극에서 광대는 사회자를 대신한다. 제삼자의 입장에서 극의 흐름을 잡아주고 관객을 설득시켜 주는 소임을 가진다. 광대는 관객들에게 〈리어 왕〉의 배경을 설명한 후 무대 뒤로 사라졌다.

연극의 제 1막은 리어 왕이 세 딸을 불러 영토를 나눈 뒤, 셋째 딸 코델리아를 혼수 하나 없이 프랑스로 시집을 보내며 추방하고 자신에게 아첨하던 두 딸에게 배신당해 쫓겨나는 과정을 다뤘다.

제 2막에는 리어 왕의 마음을 돌리기 위해 충언과 충심을 아끼지 않는 신하들의 이야기가 그려졌다. 그리고 드디어 〈리어왕〉최고의 악당이자 주연 중 하나인 에드먼드가 등장했다. 에드먼드는 충신 글로스터 백작의 서자로, 앞길에 방해가 되는 아버지 글로스터 백작과 형 에드거를 제거할 작심을 하고 독백했다.

"자연이여, 나의 운명의 여신이여. 나는 너의 법칙에 따르기로 했다."

대자연을 아우르는 목소리가 극장을 가득 메웠다. 지금까지 호연을 펼쳤던 다른 배역들을 놀이쯤으로 보이게끔 하는 압도적인 힘이 실려 있었다. 에드먼드의 오만하고 대담한 성정이 시작부터 그대로 묻어 나왔다.

조명이 비추는 사람은 이도원의 예상대로 김진우가 맞았다. 이도원은 더 놀라지 않았다. 이미 예상했던 바였다.

'차원이 다르군.'

어느 정도 감안하고 보는데도 소름이 돋았다.

김진우가 독백을 이어나갔다.

"무엇 때문에 내가 인간이 만든 관습에 희생이 되고, 형보다 그저 열서너 달쯤 늦게 태어났다고 해서 세상의 시끄러운 잔소리에 구속되어 상속을 못 받아야 만 하느냐."

낮고 울림이 있는 목소리.

그 안에는 객석을 얼리는 차가운 분노가 서려있었다.

"무엇 때문에 내가 사생아란 말이냐?"

자조적으로 물은 그는 웃으며 분위기를 바꾸었다.

오만한 표정으로 턱 끝을 치켜들었다.

"깨끗한 정실부인의 자식 못지않게 내 마음은 고상하고, 나의 체격은 이렇게 준수하지 않으냐?"

에드먼드를 연기하는 김진우가 고개를 갸웃했다.

"사람들은 어째서 우리에게 서자라는 낙인을 찍을까? 어째서 사생아냐?"

그는 세상을 집어삼킬 듯 비웃었다.

"사생아?"

이어서 자신의 출신에 대해 한 점 부끄러움이 없이, 관객의 통념들을 무너뜨리기 시작했다.

"재미없고 김빠진 고단한 잠자리에서 자는지 깼는지 모르는 사이에 만들어진 이 세상의 바보 무리보다, 남의 눈을 속여 가며 욕망을 못 이겨서 생겨난 나 같은 사람이야말로 더 많은 생명의 요소와 더 기운찬 기질을 타고나지 않았는가?"

관객들은 그의 말솜씨에 빠져들었다. 그의 음성과 어조는 악마의 속삭임처럼 나직하고 강렬했다.

김진우가 유혹하며 자신과 상반된 출신을 말했다.

"적자."

그의 대사가 이어졌다.

"하지만 적자 에드가야, 나는 네 것을 내 손에 넣고 말겠다."

에드먼드가 된 김진우는 형을 향한 가소로움과 분노를 담아

손에 쥔 편지를 쳐들었다.

"존경하는 여러 신이여, 이 서자를 보호해 주소서."

대사가 끝나고 장면이 계속됐지만 이도원은 김진우의 독백이 주는 여운을 떨치지 못했다.

객석은 고요에 휩싸였고 모든 관객이 에드먼드에게 빠졌다. 김진우가 일으킨 마법에 홀려버린 것이다. 그는 독보적인 연기력으로 모든 관객을 사로잡았다. 어떤 장면이 나오든 관객들의 눈과 귀는 에드먼드의 등장을 애타게 기다렸다.

이도원 역시 그들과 같은 감정을 느꼈다.

'어떻게 저런 연기가 가능한 거지? 일개 고등학생이?'

좀체 이해하기 힘들었다. 그 역시 시간을 거꾸로 돌아온 것은 아닌지 의심이 들 정도로.

'그런 연기력을 가지고 있으면서, 왜 그런 짓을 저지른 거냐?'

더욱 용서할 수 없었다.

김진우는 그 뒤로도 신기에 가까운 연기를 보여주었다. 〈리어 왕〉이 끝났을 때 모든 사람들의 기억에 남는 것은 단 한 명의 인물, 에드먼드였다.

이도원은 충격과 분노를 맛보았다.

연기는 누가 더 잘한다고 단정할 수 없다. 다만 공연을 보고 나서 무의식적으로 다른 배우의 연기를 떠올리며 내 연기를 한다면 적어도 상대의 연기에 휘말렸다는 것이다.

이도원은 으드득 이를 갈며 〈리어 왕〉 연극이 끝나는 동시에 객석에서 일어났다. 아직 1, 2학년들의 작품이 남아 있었지만, 도저히 엉덩이를 붙이고 앉아 있을 수가 없었다.

'한동안 머리에서 떨칠 수 없겠어.'

그가 두림예술고등학교를 나왔을 때, 이미 머릿속은 김진우에 대한 경쟁심으로 가득했다.

다음 날 이도원은 이상백의 명함을 만지작거리며 한국예술대학교로 가고 있었다. 그를 찾아가는 데에는 여러 가지 복합적인 감정이 작용했다.

타임 슬립 전, 한동안 계속 무대에만 섰기 때문에 영화 촬영을 들어가기에 앞서 도움이 될 만한 조언들을 얻고 싶었다. 또한 김진우의 연기를 보고 받은 충격에서 탈출해 한 단계 성장하고 싶은 마음이 간절했다.

이도원은 이상백이 큰 도움을 줄 거라는 믿음이 있었다. 그는 타임 슬립 전에도 이도원의 스승이었고, 이도원의 연기 인생에 가장 큰 영향력을 발휘했던 사람이었기 때문이다.

5장

크랭크인(Crank in : 촬영 개시)

이상백은 한국예술대학교 학과장실에서 이도원을 환영해 주었다.

다행히 저녁이 다 된 시간이었기에 강의가 없었다.

"미리 전화하고 오지 그랬냐."

그 말에 이도원은 머쓱하게 웃었다.

"집이 가까워서 산책할 겸 들렀습니다."

이상백은 그를 빤히 보더니 물었다.

"내게 원하는 것도 있는 것 같은데? 눈에 불씨가 들어 있어."

'누가 감독님 아니랄까 봐, 표현력은 여전하시네요.'

이도원은 내심 생각하며 입 밖으로 본론을 꺼냈다.

"연기적인 조언을 얻고 싶습니다."

"내 강의를 듣고자 우리 학교에 들어오는 학생들도 있는데 너무 뻔뻔한 거 아니냐?"

"뇌물을 좀 가져왔는데요."

이도원은 자판기에서 뽑은 캔 커피를 올려두며 씨익 웃었다.

그 능청스러움에 고개를 저은 이상백이 말했다.

"너 정도면 고등학생 중에는 베스트 오브 베스트다. 그런데 뭐가 더 궁금해서?"

"연기는 끝이 없죠. 실은 얼마 전 영화에 섭외가 됐고, 고등학교 예술제에서 저보다 뛰어난 연기자를 보았습니다."

"고등학교 예술제에서?"

이상백의 눈에 이채가 감돌았다.

"우리 학교로 스카우트하면 좋겠군. 어쨌든… 영화 섭외가 들어온 건 축하한다."

"감사합니다. 예술제에서 충격받은 것도 있고, 촬영 전 조언을 구하고 싶어서 찾아왔습니다, 교수님."

"으음, 굳이 남을 신경 쓰는 건 배우로서 좋지 않은데. 모든 예술은 그 자신이 최고여야 하고, 경쟁자는 자기 자신으로 족하다."

"꼭 넘어야 할 산입니다. 제게는 그 상대를 이겨야 할 이유가 명백합니다."

"잘하려고 하면 망치는 법이다."

"그 마음을 원동력으로 만들어주십시오."

이도원의 눈빛을 마주한 이상백은 기이한 느낌을 받고 물었다.

"나에 대해 잘 알지도 못하면서 그런 절대적인 믿음을 보이는 이유가 뭐냐? 심지어 내 학생들도 나한테 불만은 있는데. 넌 어떤 가르침도 감사히 받아들이겠다는 태세야."

"교수님은 심사평 몇 마디로 제게 큰 도움을 주셨습니다."

진지한 표정을 바라보던 이상백이 피식 웃음을 터뜨렸다.

"보면 볼수록 웃기는 녀석이로군. 오늘은 내가 저녁 약속이 있으니 내일부터 학교가 파하는 대로 이곳에 오너라. 일단 먼저 연기를 봐야겠지? 내일은 네가 좋아하는 독백을 하나 골라서 준비해 봐."

"예, 감사합니다."

"넌 정말 특이한 녀석이다."

이상백은 캔 커피를 따서 한 모금 들이켰다.

이도원은 그를 보며 내심 짠했다.

'한 번 제자는 영원한 제자란 말이 현실이 됐습니다.'

그는 다시 한 번 살짝 고개를 숙였다.

이상백은 지인과의 저녁 약속에 나갔다. 그곳에는 회색 정장을 차려입은 단구의 노신사가 앉아 있었다.

작은 키와 다부진 체격을 가진 노인이 깊은 눈빛으로 이상백을 바라봤다.

"반갑소, 이 감독."

"연락받고 의외였습니다."

이상백이 맞은편에 앉으며 손을 들어 웨이터를 불렀다. 그는 능숙하게 메뉴를 주문한 뒤 말했다.

"회장님께서 답신을 해주실 줄은 몰랐거든요."

"옛적에는 이 감독과 종종 함께 영화를 보고는 했지요."

노인은 은은한 미소를 띠며 말을 이었다.

"이 감독이 프로덕션을 만들어주시오. 내 평생 영화 제작을 하는 것이 꿈이었으나 이루지 못했지. 그 와중에 적임자를 만났다고 생각합니다."

"제가 그럴 기량이 될지 모르겠습니다. 젊어서는 영화도 다수 찍었지만 한 번도 흥행을 못 했습니다. 좋게 말하면 예술적인 고집 때문이고, 요즘 아이들 말로는 고지식한 거겠지요."

"그건 관계없소. 나는 이 감독의 꿈을 후원하겠다는 말이니까. 내 꿈도 이 감독의 꿈에 편승하고자 하는 것이오."

"저는 좋은 배우들을 만들고 싶습니다. 그렇게 되면 영화 제작사 겸 배우 양성을 함께하게 되겠지요. 하지만 실질적으로 큰돈이 드는 일입니다. 저는 대학 교수직에 오래 머물렀고, 고인 물이 썩듯이 현재는 영화판에 이렇다 할 인맥조차 없는 실정이니까요."

"후원금을 모두 소비해도 좋소."

노인이 지갑에서 명함을 꺼내 식탁에 올려두었다.

"계약서도 필요 없소. 승낙하면 바로 후원금을 보낼 것이오. 또한 이건 내 사비로 진행하는 일이니 토를 달 사람도 없을 거요."

이상백은 고개를 끄덕이고 명함을 받았다.

"좀 더 고민해 보겠습니다."

노인이 대답했다.

"내가 죽기 전까진 말해줘야 합니다."

"물론이지요. 오래 사실 겁니다."

이상백이 미미하게 웃으며 말했다.

그들은 이런저런 담화를 나누며 즐겁게 식사를 마무리 지었다. 저녁 약속을 모두 마친 이상백은 집으로 가지 않고 학교로 돌아왔다. 그는 자신의 방에서 컴퓨터를 켜고 커리큘럼이 가득한 파일을 열었다.

"후우."

이상백은 이도원을 떠올렸다.

그에게 이도원은 놀랄 만큼 재능이 뛰어난 꿈나무였다.

'언제나 누군가를 가르치는 일은 조심스럽군.'

이상백은 커리큘럼을 정리하기 시작했다. 이도원을 지도하기로 약속한 이상 최선을 다해야 한다는 결심으로 밤을 꼬박 지새워가며 작업을 했다. 다른 교수진과 방향성을 맞추지 않고 그만의 커리큘럼을 제안하는 건 이번이 처음인 것이다.

"오랜만에 밤을 새웠더니… 나도 늙었나 봐."

이상백은 자조적인 웃음을 터뜨리며 담배를 한 대 물었다. 담뱃불을 붙인 그는 창문으로 새어드는 햇살을 바라보며 홀가분한 표정을 지었다. 연기를 처음 가르쳤던 이십 대 초반으로 돌아간 기분이었다.

그는 다짐했다.

'내가 스타니슬랍스키(Stanislavsky : 러시아의 연출가·배우· 연극이론가) 같은 인물은 못 되더라도, 꼭 그만한 가르침을 주마.'

한편 이도원은 학교에서 수업을 받고 있었다. 어젯밤 한잠도 자지 못하고 이상백 앞에서 펼칠 독백 연기를 준비했다. 그가 선보일 연기는 다름 아닌 〈가제 : 우리〉의 한 장면이었다. 이번에 출연하게 된 유태일 감독의 영화인 것이다.

'기왕이면 내가 연기할 배역에 대해 피드백을 받는 게 좋겠지.'

그는 교과서를 살짝 들쳐 숨겨둔 대본을 눈으로 훑었다. 복합적이고 어려운 감정이 들어가는 장면이었다.

죽어가는 여동생에 대한 애타는 마음, 심장병에 걸린 여동생이 언제 잘못될지 모른다는 초조함, 그럼에도 병원비와 수술비가 모자란 설움, 부모님을 여읜 상태에서 여동생까지 잃을 수 있다는 두려움이 범벅된 감정이었다. 그리고 그 감정의 폭발은 병원비와 수술비를 요구하는 의사를 협박하는 잘못된 형태로 표출된다.

한 인물이 궁지에 몰려 양심과 두려움마저 잊어버린 모습을 표현해야만 했다.

이도원은 대사를 중얼거리며 대본의 중요한 부분을 볼펜으로 체크했다. 이상백 앞에서 연기를 펼치는 것은 그 어떤 오디션보다 긴장되고 기대되는 일이었다.

*　　　　*　　　　*

이도원은 하굣길에 한국예술대학교 연극원의 연기과 학과장실로 갔다.

이상백은 그가 도착하기 무섭게 자리에서 일어났다.

"바로 빈 강의실로 가자."

"알겠습니다."

두 사람은 501호 강의실로 들어갔다.

이상백이 자리에 앉더니 말했다.

"독백은 뭐로 준비했지?"

"이번에 영화에 섭외된 역할입니다. 이십 대 중반 남성이며 여동생이 심장병을 앓고 있습니다. 제가 할 대목은 궁지에 몰린 주인공이 사정하다가 통하지 않자, 병원에서 의사를 협박하는 장면입니다."

"한번 보자고."

이도원은 고개를 끄덕이고 입을 뗐다.

"부탁드립니다, 선생님. 돈은 꼭 갚겠습니다. 제 목숨을 걸고 약속드립니다. 꼭 갚겠습니다, 선생님! 도와주십시오."

그는 붉어진 눈으로 말했다.

"도와주십시오! 제발 한 번만… 많은 환자 중 한 번만 도와 주십시오. 사람을 살리는 일 아닙니까?"

이도원의 머릿속에 눈앞에 있는 의사가 떠올랐다.

흐릿하게 생겨난 형상이 말했다.

─제게 말씀하지 마시고 원무과에 말씀해 보시죠. 여기서 이런다고 해결될 일이 아닙니다.

의사를 쫓아가며 말하던 이도원은 걸음을 멈췄다. 그는 의사의 뒷모습을 노려보다 빠른 걸음으로 다가가서 어깨를 잡았다.

"알겠습니다. 그럼 동생이 입원하는 동안만이라도 부탁드릴 일이 있습니다."

의사가 미심쩍인 얼굴로 물었다.

─그게 뭡니까?

"잠시… 이쪽으로 오시죠."

이도원은 반강제로 의사를 끌어당기며 강의실 문을 열었다

닫았다. 다른 장소로 들어왔다는 걸 표현한 그는 재차 부탁했다.

"선생님. 마지막으로 부탁합니다. 제발… 다시 한 번만 재고해 주십시오."

─미안하지만 원무과에 이야기하시오. 난 권한이 없다니까요.

이도원의 호흡이 빨라졌다. 극도로 흥분한 그는 숨을 들이쉬며 입을 앙다물고, 의사를 거칠게 벽으로 밀어붙였다. 그는 팔꿈치로 의사의 가슴을 누르며 몹시 흥분한 상태로 으르렁거렸다.

"난 당신에게 분명 기회를 줬어. 마지막 부탁이라고 했지? 이제 더는 부탁하지 않아."

이도원의 눈이 광기로 번뜩였다.

의사가 당황했다.

─이거 왜 이러시오? 이거 놔요!

이도원이 대답 대신 허리춤에 숨겨둔 칼을 더듬으며 꺼낸 뒤 의사의 아랫배로 가져다댔다.

"이젠 명령이야."

─이식 말고 다른 방법을 생각해 봅시다!

의사의 말에 그는 고개를 저었다.

"중격결손은 심장이식밖에 방법이 없다고 했어. 내가 그 정도도 안 알아보고 왔을 것 같아?"

─보험이나, 여러 복지정책이 있소. 좀 진정하고… 이런 식으로는 아무것도 해결되지 않아요. 당신이 감옥에 가면 동생은 누가 돌봅니까?

이도원은 식은땀을 흘리며 말했다.

"닥쳐. 내가 모를 줄 알아? 뒷돈을 받고 심장이식 대기자 명단 일 순위였던 내 동생 보다 먼저 다른 놈에게 심장을 줬어. 그전에 뻔뻔하게 노골적으로 내게 돈을 요구해 놓고 내가 두 손 놓고 당하고 있을 거라고 생각했어?"

─그럼 경찰에 신고를 하세요! 나한테 이러지 말고!

의사가 언성을 높이자 이도원은 칼끝을 밀었다.

위협을 느낀 의사가 입을 닫았고, 이도원이 말했다.

"닥치고 있어. 죽고 싶지 않으면."

그는 한 손으로 문을 잠그며 말을 이었다.

"경찰도 방송국도 증거가 없다고 묵살하더군. 돈을 구하기 위해 무슨 짓이든 했어. 내 동생을 위해서라면 당신을 죽일 수 있다."

이도원은 의사의 가운을 뒤져 휴대폰을 꺼낸 뒤 의사에게 말했다.

"신고해."

─뭐요?

"신고하라고. 언론에 이 사실을 알릴 테니까."

─미쳤군!

소리치던 의사의 형상이 감쪽같이 사라졌다.

이도원은 독백을 끝내고 눈앞에 앉아 있는 이상백 교수를 보았다.

이상백은 눈앞에 협박받는 의사가 그려지는 듯했다. 이도원의 몸동작은 상황을 생생하게 재현하고 있었다. 심지어 혼자 연기를 하는데도 눈앞에 상대역이 있는 듯, 연기 호흡을 주고받는 느낌마저 들었다.

'어떻게 저런 움직임이 가능하지?'

수년 경력이 있는 마임 배우들도 쉽지 않은 움직임이었다.

"연기는 흠잡을 데 없었다."

이상백은 말문을 열었다.

"하지만 호흡이 얕아. 대사를 말할 때 어깨가 움직이는 걸 보면 알 수 있지. 해부학적으로 말하면 후두부에 긴장을 줘서 발성을 어렵게 하고, 턱뼈와 혀에까지 영향을 끼쳐서 발음에도 좋지 않은 영향을 주고 있다. 물론 일반인보단 낫지만 아직 부족하단 뜻이지."

이도원은 절로 고개를 끄덕였다.

그 전까지는 경험을 바탕으로 한 연기적인 기교들로 관객의 눈을 가렸다.

감정을 끌어 올려 극적인 감정을 내뿜는다고 해도, 부실한 기본기로 관객에게 최대치가 전해지지 않았다. 만약 호흡, 발성,

발음 단계의 화술이 탄탄했다면 김진우처럼 최대의 감정을 보여줄 수 있었을 것이다.

그 점을 간파한 이상백이 말했다.

"너는 기본기가 완성되면 훌륭한 연기자가 될 것이다. 하지만 기본기의 완성이란 건, 배우마다 다른 개념과 훈련법을 가지고 있기 때문에 저마다 다르게 완성된다. 워낙 학설들이 다양해서 이렇다 정의할 수 없는 건데… 내가 너에게 가르쳐 줄 화술은 조금 색다르다. 추상적으로 접근하지 않고 인체해부학적으로 접근했다고 이해하면 될 거야."

그는 곰곰이 생각하더니 덧붙였다.

"배우는 자신을 더 깊이 이해할수록 연기력이 향상된다. 결국 자신과의 싸움이지. 신체와 감정을 얼마나 자유자재로 통제하고 표현할 수 있는가가 관건이다. 감정을 표현하는 건 결국 신체이고, 그러려면 우리는 우리의 몸을 먼저 이해해야 한다."

이도원은 이상백의 말을 들을수록 흥분됐다.

타임 슬립 전에는 이미 대학교에서 배운 방법대로 버릇이 들어 있었고 바꿀 수 없었다. 또한 목소리를 잃었기 때문에 화술에 대한 부분이 크게 필요치 않았다. 따라서 이상백은 그에게 화술보다 움직임에 대한 부분을 가르쳐 주었었다. 하지만 지금은 달랐다.

이도원은 이상백에게 연기의 기초부터 배우고 있는 것이다.

예상대로 이상백의 이론은 놀라웠다.

'연기를 해부학적으로 접근하다니.'

놀란 표정을 보며 이상백이 말했다.

"이를테면 복식호흡. 우린 복식이라고 해서 단전까지 호흡을 내린다고 생각한다. 하지만 호흡은 절대 횡격막 아래로 내려가지 못해. 즉, 정확히 말하면 폐까지밖에 못 내려가는 거지. 다만 상상하는 거다. 호흡을 횡격막까지 끌어내리기 위해 배까지 당긴다고 생각하는 거지. 때로는 의식이 호흡을 지배한다는 소리다."

그는 깊고 안정적인 호흡을 말하고 있었다.

"이런 통제가 자연스럽게 습득되어야 해. 수동적인 호흡 훈련은 정작 호흡을 소리에 연결하지 못하는 경우가 대부분이다."

"잠시만요."

이도원은 손을 들어 강의를 중단시킨 뒤 가방으로 다가가 수첩과 펜을 꺼냈다.

"예."

그 말에 이상백이 말을 이어갔다.

"들숨을 통해 영감을 얻고 날숨을 통해 휴식을 취해야 한다. 이때 날숨은 가능한 고르고 길게 유지해야 한다. 이건 발성훈련의 기초가 돼. 배우가 자신의 공기를 조금의 낭비도 없이 모두 소리에너지로 변환할 수 있는 능력을 습득해야 하기 때문이지."

이도원은 정신이 아찔했다. 이상백은 분명 상상을 현실로 만들 수 있는 훈련법을 가지고 있을 터였다. 인간에게 내재된 능력을 끌어올리는 연기의 기본기는 언제나 원초적인 설렘을 안겨준다.

'벽을 허물어야 한다.'

무술에서 경지를 허무는 일, 공부에서 한계점의 성적을 뛰어넘는 일, 종교적인 깨달음을 얻는 일, 일상에서 자기 자신의 틀을 깨고 진일보하여 성숙하는 일과 같은 맥락의 과정이었다.

"나 자신을 이기는 일."

이도원은 상념에 빠져 중얼거렸다.

그를 보는 이상백의 눈이 흡족하게 빛났다.

*   *   *

이상백이 말했다.

"결론. 성대는 횡격막 아래 있다고 상상해라."

이도원은 받아 적었다.

"명심해야 할 점은 사람은 누구나 갓난아기 때 복식호흡을 한다는 거야. 아기 목소리가 큰 것도, 우리가 누워 있으면 저절로 배로 호흡을 하게 되는 것도 같은 이치다. 하지만 직립보행을 하게 되면서 편리하게 숨을 쉬는 법을 저절로 깨우치고 가습까지만 들이쉬게 되는 거지."

이상백의 말은 대부분 타임 슬립 전 이도원이 대학교 시절 배운 것이었다. 반면 시간이 지나면서 잊고 있던 부분들이기도 했다.

이상백은 검지를 곧게 펴며 말을 이었다.

"하루도 빠짐없이 여덟 잔 이상 미지근한 물을 마셔라. 그리고 언제나 일상에서도 어깨, 목, 턱 등의 힘을 빼고 말해라. 연기를 할 때도 네가 가지고 있는 음역 내에서만 자연스러운 소리를 내라. 단 하루도 화술 훈련을 게을리하지 마라."

"알겠습니다."

대답한 이도원은 고개를 갸웃했다.

'소리를 잃은 지 너무 오래됐어. 하지만 내가 김진우에 비해 부족한 부분이 화술뿐일까?'

혼자 고민해도 나오지 않는 답이었다.

"교수님. 제가 예술제에서 봤던 연기자의 동영상이 있는데 한 번 봐주시겠어요?"

"누차 말했지만 남을 의식하는 것은 좋지 않다. 그래도 궁금하긴 하구나."

이도원은 휴대폰으로 〈방송, 영화, 드라마 대본 커뮤니티〉 카페에 접속해 일전 보았던 동영상을 재생했다. 다시 봐도 폭풍처럼 휘몰아치는 연기력이었다. 하지만 그를 모두 감상한 이상백의 의견은 달랐다.

"난 네 연기가 더 좋은데?"

이도원이 멋쩍게 웃으며 답했다.

"그럴 리가요?"

"이 학생은 너보다 기본기가 안정적이구나. 더불어 감정을 이끌어내는 법도 잘 알고 있고. 하지만 너무 완벽해. 그런 완전무결함은 배우의 장점이 될 수도 있지만, 연기적인 단점이 될 수 있다."

"그게 무슨 말씀이시죠?"

"관객들로부터 박수를 이끌어낼 수는 있겠지. 하지만 관객의 상상력을 제한해 버릴 수 있다. 자신도 모르게 스스로 연기하는 캐릭터를 너무 정형화시켜서 자연스러움을 잃을 수 있다. 하지만 좋은 연기는 인물을 정형화시키는 게 아니야. 같은 인물을 갖고도 배우들은 서로 다른 해석과 연기를 펼쳐야 한다. 관객은 완벽한 희곡 속 인물 보다 참신한 해석이 뒷받침된 인물을 원해."

이상백은 관자놀이를 꾹꾹 누르며 말했다.

"화술은 단순히 어휘의 나열이 아니다. 어휘를 발화하는 원동력인 호흡, 발성, 그리고 배우 개인의 성격적 기질, 연기관과도 밀접한 연관이 있지? 그 배우를 구성하고 있는 호흡, 발성, 성격적 기질이 저마다 다르다는 뜻이야. 배우마다 기질에 따라 말의 템포, 어조, 말투 등이 다르듯이. 넌 그런 면에서 더 편한 느낌을 준다."

그는 이도원의 어깨를 잡았다.

"네가 이 학생과 어떤 사연이 있어서 그렇게까지 과대평가를 하고 의식하는지 모르겠지만 넌 네 길을 가라. 그게 네가 찾는 해답이야."

집에 온 이도원은 생각에 잠겼다.

'꼭 이겨야 할 이유.'

분명 있었다.

이번 생애 김진우한테 밀리는 상황이 발생한다면 참을 수 없을 터였다. 복수심은 그에게 경쟁심 이상의 집착을 불러왔다.

'집착하다 보니 상대가 더 커 보였다.'

이도원은 눈을 지그시 감으며 생각을 정리했다.

현재 시점에서 가장 중요한 건 김진우가 아니었다. 그 사실을 간과하고 있었다.

김진우가 이도원에게 용서할 수 없는 인물인 건 맞지만 현재로선 일방적인 관계일 뿐이었다. 그를 경계하고 그의 실력에 감탄할 시간에 한 뼘이라도 정진해야 하는 것이다. 이도원은 후일 김진우를 다시 만났을 때 그를 넘어서기 위해서는 조급해하는 것보다 현재에 충실해야 한다는 걸 깨달았다.

'이제 출발 지점에 섰을 뿐이고 미래를 알고 있다는 건 어느 정도 장점으로 작용할 것이다. 조급해하지 말고 멀리 내다보자.'

생각한 이도원이 긴 한숨을 뱉으며 넣어 두었던 대본을 꺼냈다. 그는 자신이 맡은 배역, '상태'의 대사를 보았다.

크랭크인 날짜까지 삼 일이 남아 있었다. 고작 삼 일 동안 상태란 인물을 이해해야 하는 것이다. 이 기간에 이해한 것이 촬영이 진행되는 두세 달의 시간 동안 일관되게 이어져야 한다. 중간에 바뀌어서 다른 느낌을 주면 영화 전체가 부자연스러워질 수 있었다.

영화 촬영은 러닝타임 순서대로 찍지 않기에 더욱 어려운 일이었다. 영화는 예산을 최소화하고 신속하게 촬영할 수 있는 순으로 제작된다. 따라서 배우는 두세 달의 촬영 기간 동안 매번 같은 느낌으로 몰입해야 한다.

반면 연극은 사건들이 순서대로 진행된다. 자연스레 배우의 감정이 사건을 따라간다. 그리고 정해진 시간만 지나면 막을 내린다.

'소리를 잃고 항상 무대에만 섰다. 카메라 앞에 서는 게 얼마만인지.'

이도원은 촬영과 무대의 차이점에 대해 두려움보다 설레는 마음이 들었다. 그는 매일같이 마음속에 불을 지피고 있었다. 타임 슬립한 뒤 이제까지 하루도 빠짐없이 체력 단련과 화술 훈련을 해왔다. 그건 대회나 오디션이 있는 날에도 마찬가지였다. 더불어 이젠 이상백의 노하우까지 전수받고 있다.

이도원은 샤워를 하며 유태일 감독의 〈가제 : 우리〉의 '상태'

대사를 노래 부르듯이 외쳐 댔다. 화장실을 쩌렁쩌렁 울리는 통에 누나 이다원의 잔소리가 들려왔다.

"아 좀! 조용히 좀 해!"

"얘는! 방문을 닫으면 되잖아?"

어머니는 이도원의 편을 들었다.

이다원으로서는 뿔이 날 수밖에.

"엄만! 왜 쟤 편만 들어요?"

"네 동생한테 연기하는 걸로 뭐라고 하는 건 너 공부한다고 누가 뭐라고 하는 거랑 같아!"

"난 피해를 안 주고 쟨 피해를 주잖아요. 하여간 누가 아들 사랑 나라사랑 아니랄까 봐, 모자가 한통속이야."

"너……!"

이다원이 방문을 쾅 닫는 소리가 들렸다.

'저게 엄마한테 버릇없이.'

이도원은 씻던 중 울컥했지만 무어라 하지 못했다. 두 사람이 똑같이 소중한 것이다.

대신 자신이 대사를 멈추는 쪽을 선택했다. 그는 다 씻고 추리닝을 입은 후 현관에 서서 말했다.

"나갔다 올게요."

"이 시간에 어디 가? 밤에 검은 옷 입었다가 사고 날라. 얼마 전 신문에 운전자가 검은 옷 입은 보행자를 못 보고 치었다더라."

전생에서는 귀 기울이지 않았겠지만 지금은 이런 소소한 걱정이 싫지 않았다.

"회색 입고 가죠, 뭐."

그는 회색 추리닝으로 갈아입고 말했다.

"동네 산책 좀 하고 오려고요. 내일부터 촬영이라 머리도 복잡하고요."

"네 누나가 뭐라고 해서 나가는 거니?"

"아네요."

이도원은 한쪽 눈을 찡긋해 보이고 문밖으로 나섰다. 상쾌한 밤공기가 그의 코끝을 간질였다.

이십 년 전으로 돌아와 맡아보는 바람 냄새가 마음을 아련하게 만들었다.

'어찌 됐든 난 정말 축복받은 사람이다.'

이도원은 마음이 벅찼다. 그는 되살아난 뒤 한동안 공중에 붕 뜬 기분이었다.

다음 날 깨어나면 다시 죽음의 순간이 펼쳐질까 봐 불안해하며 잠들었고, 아침마다 눈을 뜰 때면 어제 잠들었던 그곳이라는 사실에 안도했다. 매 순간이 소중했고 조심스러웠다. 하지만 이 모든 것은 현재 행복하고, 이 행복을 잃고 싶지 않다는 간절한 바람에 기인해 있었다.

이도원은 기지개를 펴듯 양팔을 활짝 벌리고 폐부 깊숙이 밤공기를 들이마셨다.

"매연 범벅인 서울 공기가 이렇게 달콤하다니."

이도원은 콧노래를 흥얼거리며 공사가 중단된 부지의 컨테이너 박스로 향했다. 그가 지금까지 드나들던 연습실 같은 곳이었다. 처음에는 조금 무서웠지만 이제는 익숙했다. 그렇게 평소와 전혀 다를 것 없는 일상을 보낸 뒤 마침내 촬영 날 아침이 밝았다.

＊　　　＊　　　＊

다음 날 이도원은 학교에서 수업을 듣는 내내 마음이 붕 떠 있었다.

그동안 어렵사리 마음을 다잡았었지만 막상 촬영 당일이 되자 학교생활에 집중하기가 어려웠다.

가방 안에는 두툼한 대본과, 이십 대 중반 역할을 소화하며 입을 사복 두 벌이 들어 있었다.

점심시간, 박서진이 이도원의 반으로 놀러 와서 물었다.

"너 영화 촬영 간다며? 언니한테 들었어. 그나저나 드라마 오디션 떨어지고 낙심했을 텐데 정말 잘됐다."

그녀는 이도원이 고사했다는 걸 몰랐다. 그래서 항상 되도 않게 놀려대고는 했다. 그때마다 이도원은 모른 척 박서진의 장단에 맞춰주었다.

"아버님께는 감사하다고 전했지?"

"당연하지. 언제 전했는데! 근데 무슨 영화야?"

"그냥 대학생 작품이야."

이도원은 구구절절 설명하기 귀찮아서 둘러댔다.

박서진은 옆자리에 다리를 꼬고 앉아, 눈을 가늘게 뜬 채 그를 바라봤다. 마치 범인을 색출해 내려는 탐정의 시선이었다.

"설마 여배우와 키스신이 있다거나……."

꼬치꼬치 캐물으려고 하는 줄 알고 순간 긴장했던 이도원은 피식 웃었다.

'난 또 뭐라고.'

박서진이 말을 이었다.

"포옹한다거나……."

그녀가 주먹을 치켜들었다.

"그런 쓸데없는 장면이라도 있으면 죽어!"

이어진 한마디에 이도원은 웃어버렸다.

'지가 뭐라고 마누라 노릇이래.'

그런 생각이 들었지만 이해할 수 있는 범위였다. 박서진은 아직 그를 좋아하고 있었고, 질투심을 드러내며 간섭할 만큼은 친했다.

학교가 파하자 이도원은 중영대학교로 갔다.

오늘 촬영은 중대병원 복도에서 의사를 협박하는 실내 씬 하나, 이도원이 담배를 피우려는 차지은과 친구 무리를 발견하고 혼을 내면서 갈등이 불거지는 나이트 씬 하나였다.

병원 씬에서는 차지은이 등장하지 않는다. 따라서 차지은은 해가 완전히 지면, 7시까지 현장에 오기로 되어 있었다.

이도원이 도착했을 땐 촬영스태프들이 분주하게 움직이며 트럭에 장비를 싣고 있었다. 대부분이 1,2학년 학생이었고 3, 4학년은 장비 점검을 했다.

유태일은 이도원에게 다가왔다.

"스태프들이 준비할 동안 배우님은 대본을 보고 있으면 됩니다."

"네. 알겠습니다."

모든 스태프들이 움직이는 가운데 혼자 대본만 보고 있는 건 다소 민망한 상황이었다. 하지만 촬영장은 모두가 자신이 해야 할 일에 집중한다. 그래야만 빨리 진행이 되고, 이 점에 대해서 누구도 불만을 품지 않는다.

이는 이도원도 잘 알고 있는 사실이었다.

'장소 섭외는 어떻게 했지?'

대학병원은 환자들의 불편을 초래할 우려가 있어 웬만하면 장소 섭외에 응해주지 않는 곳이었다. 물론 상업 드라마나 영화라면 가능하겠지만 학생 졸업 작품에 흔쾌히 응해주었을 리 만무했다. 장소 섭외는 대부분 제작부나 조감독이 하지만, 어쨌든 총괄은 감독의 몫이었다.

이도원은 새삼스레 대본을 훑어보며 감탄했다.

'제작비가 적잖게 들어갔을 것 같은데. 제작사나 학교에서 투자라도 받았나?'

대부분의 영화과는 학생들의 처우가 열악했다. 간혹 사비를 털어 제작을 해야 하는 경우도 있었으며, 장비도 교대로 쓰기 때문에 기한 내 촬영을 마치려면 며칠 밤을 지새가며 촬영하는 경우가 비일비재했다.

이도원은 장비를 대부분 실은 뒤 점검하는 영화과 1, 2학년들을 보며 마음이 짠했다. 타임 슬립 전 연기과를 재학하던 시절 1, 2학년, 무려 2년 동안이나 무대에 서보지도 못하고 무대 스태프로 참여했던 경험이 떠오른 것이다.

'그땐 내가 뭐하고 있나 매번 생각했지. 결국 다 도움이 되었지만.'

이도원은 쓰게 웃었다.

영화과 1, 2학년의 애로 사항은 그뿐이 아니었다. 1, 2학년 작품은 선배들의 졸업 작품 등에 밀려 쪽 시간에 촬영을 진행했고, 그 와중에 선배들 작품까지 도와야 하는 실정이었다. 그럼에도 그들의 눈에는 불타는 열정이 있었다. 그야말로 좋아하지 않으면 못 할 짓이다.

트럭이 출발하자 스태프 하나가 말했다.

"이도원 배우님! 차에 타시면 됩니다."

이도원은 몇 대 없는 자가용에 탔다. 유태일 감독과 조감독이 뒤따라 차에 타며 에어컨을 틀었다. 6월 말인데도 벌써 더위가 기승을 부렸다.

1, 2학년들은 십오 분 거리를 걸어서 이동한 뒤 중대병원에 장비를 세팅해 놔야 했다.

뒷좌석에서 운전자석 헤드레스트를 껴안고 있던 유태일 감독이 말했다.

"조감독, 콘티."

운전자석에 앉은 조감독이 보조석의 이도원에게 콘티를 주었다. 오늘 촬영할 장면을 보기 쉽게 그림으로 표현한 콘티를 받은 그는 동선을 떠올려보았다.

"의사 역할은 누구죠?"

"도원 배우님보다 무려 열두 살 형입니다. 얼굴 보면 알 거예요. 영화에서 단역으로 종종 출연했던 분이니까. 연극 판에서도 십 년 이상 계셨고, 실력도 남다릅니다."

대답한 유태일 감독이 손을 뻗어 콘티를 짚으며 설명했다.

"촬영을 시작하면 바로 알겠지만 우리는 콘티대로 한 장면을 여러 구도에서 딸 겁니다. 이 상황에선 도원 배우님을, 그리고 다음에는 의사를 찍겠죠. 찍는 순서나 카메라 구도는 콘티대로입니다."

그는 주의사항을 말했다.

"테이크(Take : 특정 화면을 담아낸 단위)는 레디, 액션! 하는 순간부터 컷하는 순간까지입니다. 이 테이크가 길어지면 촬영에 지장을 줄 수 있어요. 상대 배우를 찍을 때 카메라에 걸리거나,

오디오에 소리가 묻거나 하면 안 되죠. 작은 사물이나 침 삼키는 소리도 잡아낼 수 있을 만큼 아주 민감한 부분이니 주의해 주시기 바랍니다. 연기는 잘했는데 이런 부분들 때문에 엔지가 나면 안타까우니까요."

이도원도 잘 알고 있는 사실이었다. 하지만 그는 고개를 끄덕이며 듣고 있었다.

유태일 감독은 곰곰이 생각하다 말했다.

"그 외의 것들도 촬영을 하다 보면 차차 알게 될 겁니다. 그럼 이제 현장으로 이동해 보죠."

조감독이 차 시동을 걸었다. 자동차 엔진 소리에 따라, 이도원의 심장도 뛰기 시작했다.

병원에 도착했을 땐 이미 촬영 준비가 갖춰진 상태였다.

유태일은 닥터 가운을 입은 아버지뻘 의사와 매우 가까운 사이인 듯 무어라 대화를 나누었다.

'무슨 관계지? 저 정도면 과장이나 병원장 급 의사 같은데.'

잠시 궁금증이 들었지만 이도원은 신경을 끄고 대본과 콘티 연구에 열중했다.

복도에는 촬영 장소로 바로 온 의사 역할의 조연이 동선을 체크하고 있었다.

그가 맡은 배역은 오민식이란 의사로, 극중 최고의 흉부 외과의였다. 나이는 삼십 대 중후반으로 짐작됐으며 의사 역할에 잘 어울리는 지적인 외모의 소유자였다.

그는 유태일 감독을 보더니 손을 흔들었다.

"유 감독님! 이 친구가 전에 말한 그 친굽니까?"

두 사람은 술 한잔 나눈 적이 있는 듯 친근했다.

"예. 소개해 드리겠습니다. 이쪽은 이윤식 배우님. 그리고 이쪽은 제가 말한 이도원 배우님입니다."

이도원이 고개를 살짝 숙이며 인사했다.

"안녕하세요."

그는 이윤식이란 배우를 훔쳐보았다. 유태일 감독의 말대로 익히 알고 있는 얼굴이었다.

유명한 연극배우로 출발한 그는 이십 년 뒤 훌륭한 명품조연으로 거듭난다.

이윤식이 답했다.

"반갑습니다. 유 감독님이 어찌나 칭찬하던지, 입에 침이 다 마르겠더라고."

"선배님도."

유태일이 눈치를 주자 이윤식이 껄껄 웃었다.

그들이 서로 통성명을 하는 사이 비상구와 이어진 계단의 조명 배치가 끝났다.

유태일은 자신의 자리로 가서 모니터를 보며 카메라 위치를 확인하고 말했다.

"배우들 위치해 주세요."

그 말에 따라 특수 분장을 마친 이도원과 의사 가운을 입은 이윤식이 복도 끝에 마주 섰다.

그들을 확인한 유태일은 고개를 끄덕이며 입을 열었다.

"촬영 시작하겠습니다. 모두 조용해 주세요. 카메라 롤(Roll camera : 카메라 작동 명령어)."

카메라가 잡지 않는 곳에 몸을 웅크리고 있던 스크립터가 배우들 사이로 슬레이트를 쳤다.

"씬 넘버 21의 1, 테이크 원!"

그가 씬 넘버, 컷 넘버, 테이크 횟수를 나란히 부르자 촬영장에는 정적이 흘렀다.

이윽고 유태일이 말했다.

"배우들 레디."

이윤식이 이도원을 보았다. 이도원이 이윤식을 보았다. 마주 보는 두 사람 사이로 이미 대본 속 상황의 긴장감이 흐르고 있었다. 배우들 눈동자로 감정이 서렸다.

그 빈틈없는 분위기를 유태일의 음성이 아울렀다.

"액션!"

짧고 낮은 어조의 명령이었다.

잇따라 카메라, 조명, 오디오가 두 배우를 잡았다.

*　　　　*　　　　*

이도원과 이윤식이 촬영할 장면은 롱 테이크(Long take : 1~2분 이상의 쇼트가 편집 없이 길게 진행되는 것)였다. 롱 테이크는 많은 대사를 소화해야 하고 보다 길게 배우 간의 호흡이 맞아떨어져야 했기 때문에 고난도 작업이었다. 어려운 만큼 편집 없이 내보낼 수 있기 때문에 자연스러운 연출이 가능하다는 장점이 있다.

카메라는 두 사람을 풀 샷(FS : 인물의 머리부터 발끝까지 프레임 안에 담은 샷)으로 잡았다. 그리고 마침내 이도원의 연기가 시작됐다.

그의 눈으로 눈물이 그득 차올랐다.

"도와주십시오! 제발 한 번만……. 많은 환자 중 한 번만 도와주십시오. 사람을 살리는 일 아닙니까?"

감정이 듬뿍 들어가 있는 연기에 이윤식은 평가할 틈도 없이 몰입했다.

"제게 말씀하지 마시고, 원무과에 말씀해 보시죠. 여기서 이런다고 해결될 일이 아닙니다."

그는 불편한 기색이 역력했다. 절로 기분이 나빠질 만큼 사실적인 표정연기를 선보였다. 이내 이윤식이 자리를 피하려는 듯 걸음을 옮겼다.

이도원이 이윤식의 뒤통수를 노려보다 쫓아갔다.

그는 이윤식의 어깨를 잡으며 말했다.

"알겠습니다. 그럼 동생이 입원하는 동안만이라도, 부탁드릴

일이 있습니다."

이윤식이 불쾌한 표정으로 이도원을 보았다.

"이거 안 치워요? 부탁이 뭡니까?"

안 치우냐고 불쾌한 티를 낸 것은 적절한 애드리브였다.

이도원이 그를 잡아끌며 마주 대사를 쳤다.

"잠시… 이쪽으로 오시죠."

두 사람은 복도 문을 열고 나갔다. 그 후 문이 닫히는 것까지 카메라에 담은 뒤, 유태일 감독이 외쳤다.

"컷. 오케이!"

그는 콘티를 훑으며 스태프들에게 말했다.

"다음 미디엄 클로즈 업(MCU : 가슴이나 어깨 위를 잡는 샷)해서 상태랑 민식 각각 하나씩 딸게요."

이는 드라마에서는 바스트 샷이라고도 부르는 촬영 기법이었다.

상태 역의 이도원과 민식 역의 이윤식은 아까와 똑같은 자리에 마주 서서 연기를 펼쳤다. 다만 상대역은 카메라에 어깨만 걸리도록 위치를 이동했다. 오버 숄더 숏(OSS : 한 사람의 어깨너머로 다른 사람을 촬영하는 기법)이었다.

배우들이 그대로 대사를 반복한 뒤 다음 씬으로 넘어갔다. 스태프들이 복도에서 문 뒤편 계단으로 장비를 모두 옮긴 뒤 촬영에 돌입했다. 이전의 롱 테이크와 이어지는 장면이었다. 스크립터가 슬레이트를 치자 유태일 감독이 지시를 했다.

"액션!"

이도원이 간절한 눈빛으로 이윤식을 보며 연기했다.

"선생님, 마지막으로 부탁합니다. 제발… 다시 한 번만 재고해 주십시오."

목소리가 가늘게 떨리고 있었다. 그러나 돌아온 이윤식의 답변은 더할 나위 없이 매정했다.

"미안하지만 원무과에 이야기하십시오. 난 권한이 없다니까요."

기계음처럼 내뱉는 딱딱한 말투가 비수가 되어 이도원의 가슴을 헤집었다. 두 사람의 연기 호흡은 절정으로 치닫고 있었다.

무섭게 몰입한 이도원이 입을 앙다물며 호흡을 거칠게 바꾸었다. 분노를 가득 품고, 이윤식을 벽으로 밀쳤다.

"난 당신에게 분명 기회를 줬어. 마지막 부탁이라고 했지? 이제 더는 부탁하지 않아."

그 눈이 광기로 번들거렸다.

이윤식은 실제로 간담이 서늘했다.

"이거 왜 이러십니까? 이거 놔요!"

그는 저도 모르게 겁에 질려 발버둥 쳤다.

장면을 지켜보던 유태일 감독은 내심 감탄했다.

'열일곱 살이 삼십 대 중반을 겁에 질리게 만들었어. 이도원은 궁지에 몰린 인간의 광기를 내고 있다.'

그는 모니터 속으로 빠져드는 기분이었다.

한편 이도원이 허리춤에 숨겨둔 소품 칼을 더듬으며 꺼냈다. 범행을 저질러 본 적 없는 어설픈 모습이 그대로 드러났다. 섬세한 묘사에 유태일 감독이 다시 한 번 놀랐다.

'움직임이 좋군!'

이도원은 빼 든 소품 칼을 이윤식의 아랫배로 가져다 대고 말했다.

"이젠 명령이야."

목소리가 격하게 떨리고 있었다. 자신이 저지른 행동에 대한 두려움이 물씬 풍겨났다.

이윤식은 소품이 아닌 차가운 칼이 아랫배에 닿아 있는 듯한 느낌을 받았다.

"이식 말고 다른 방법을 생각해 봅시다!"

그가 외쳤지만, 이도원은 이마에 식은땀을 흘리며 말했다.

"닥쳐. 내가 모를 줄 알아? 뒷돈을 받고 심장이식 대기자 명단 일 순위였던 내 동생보다 먼저 다른 놈에게 심장을 줬어. 그 전에 뻔뻔하게 노골적으로 내게 돈을 요구해 놓고! 내가 두 손 놓고 당하고 있을 거라고 생각했어?"

씹어뱉는 대사가 똑똑히 전달됐다.

유태일 감독은 믿기 힘들었다.

'첫 촬영 맞아? 감정이 폭발하는 씬을 롱 테이크로 소화해?'

노련한 배우들도 엔지를 낼 법한 촬영 방법에도 두 배우는 잘 적응했다. 오히려 상호 간에 시너지 효과를 발휘하고 있는 것이다.

이윤식이 호흡을 맞췄다.

"그럼 경찰에 신고를 하세요! 나한테 이러지 말고!"

그가 언성을 높이기 무섭게 이도원이 칼끝을 밀었다. 그는 협박조로 말했다.

"닥치고 있어. 죽고 싶지 않으면."

이도원은 이윤식에게서 눈을 떼지 않고, 한 손을 뻗어 문을 더듬어 잠갔다.

"경찰도 방송국도, 증거가 없다고 묵살하더군. 돈을 구하기 위해 무슨 짓이든 했어. 내 동생을 위해서라면 당신을 죽일 수 있다."

그는 이윤식의 가운을 뒤적여 휴대폰을 꺼낸 뒤 명령했다.

"신고해."

"뭐요?"

"신고하라고. 언론에 이 사실을 알릴 테니까."

"당신 미쳤군!"

거기까지 진행되자 유태일이 잘랐다.

"컷. 오케이! 배우님들 모니터링하세요."

그의 말에 이도원과 이윤식이 모니터를 보았다. 원 테이크만에 오케이 사인을 받는, 믿기지 않을 만한 호연을 펼쳤지만 아쉬움이 남았다.

유태일 감독도 비슷한 느낌을 받았는지 말했다.

"일단 오케이. 킵 하고, 한 번 더 찍읍시다."

"예."

"알겠습니다."

이윤식과 이도원이 대답하고 다시 자리로 돌아갔다.

그들은 두 번 더 연기를 펼쳤지만 모두 엔지가 났다. 발음이 꼬이거나 밀치는 과정에서 호흡이 안 맞았다.

"컷. 엔지!"

외친 유태일 감독이 말했다.

"시간이 없으니까 아까 오케이 난 걸로 가겠습니다. 아까처럼 클로즈업 하나씩 따고 넘어가죠."

장면은 최대한 확보해 둘수록 좋았다. 그래야 편집으로 만들 수 있는 범위가 넓어진다. 그리고 이런 과정은 좋은 작품으로 가는 중요한 밑거름이었다.

두 사람이 함께 나오는 복도와 계단 씬 촬영이 끝나고, 이어서 이윤식이 휴대폰으로 경찰에 신고를 하는 장면과 휴대폰을 건네받는 손을 부분적으로 찍었다.

유태일 감독 옆에서 이윤식의 연기를 모니터링하던 이도원은 속으로 생각했다.

'관록이 그대로 묻어나는군. 저런 배우가 졸업 작품 조연을 하고 있다니……'

그는 이윤식이 널리 알려지기까지 앞으로 이십 년이라는 세월이 필요하다는 게 안타까웠다. 신고 장면과 휴대폰을 건네받는 장면은 모두 원 테이크로 오케이 사인이 떨어졌다. 하지만 각도를 바꾸어 두 번 정도 더 찍고 마무리했다.

유태일 감독은 스태프들에게 지시했다.

"체크 더 게이트(Check the gate : 렌즈에 이물질이 있는지 확인하는 과정). 그리고 그립 팀장은 장비 점검해 주세요. 배우님들과 저는 다음 촬영 장소로 먼저 이동하고, 카메라는 핸드헬드 샷(Handheld stot : 혼란의 한가운데서 안절부절못하는 느낌을 살려주는 샷)으로 병원 내부 정경 따고 다음 장소로 합류합니다."

*   *   *

병원을 나왔을 땐 완연한 밤이었다.

의사 가운을 벗은 이윤식이 유태일 감독에게 말했다.

"유 감독님, 다음 촬영 때 뵙겠습니다."

그는 이도원에게도 악수를 청했다.

"오늘 수고했어요. 유 감독님 말씀대로 연기력은 정말이지… 내가 다 위축되더라고."

"아닙니다. 잘 맞춰주신 덕분이죠."

이도원이 겸연쩍게 웃었다. 예의상 뱉은 말이 아니었다. 진심이 담긴 대답이었다. 이윤식이나 되니까 이도원이 편하게 연기를 해도 받아줄 수 있었던 것이다. 야구로 비유하자면 그는 투수가 어떤 마구를 던져도 모두 받아내는 포수 같은 존재였다.

"하하, 연기만 잘하는 게 아니고 성격도 좋군!"

이윤식은 촬영이 끝나자 후련하게 말하며 현장을 떠났다.

유태일 감독과 조감독, 이도원은 다시 차를 타고 이동했다. 그들의 목적지는 한 아파트 단지의 정자였다.

이도원을 보며 유태일 감독이 주의를 줬다.

"이제부터 이윤식 선배와 연기할 때와는 많이 다를 겁니다. 이윤식 선배는 이도원 배우님의 호흡에 맞춰주는 쪽이었지만, 이번에는 이도원 배우님이 맞춰야 해요."

"네, 알겠습니다."

앞으로 촬영할 장면은 상희 역의 차지은만 생각해서도 안 되는 씬이었다. 상희 친구로 나오는 단역들과도 호흡을 맞춰야 했다.

"뺨을 때리는 장면이 있는 건 아시죠? 이번에 엔지 내면 욕 좀 얻어먹을 겁니다."

"네."

이도원이 대답했다.

촬영 장소에는 차지은이 타고 다니는 밴이 주차되어 있었다. 그녀의 매니저가 유태일 감독에게 인사했다.

"지난번에 한 번 인사드렸었는데, 또 뵙습니다. 아시다시피

지은이가 스케줄이 많아서 두 시간밖에 없습니다. 최대한 빨리 진행해 주세요, 감독님."

매니저의 태도는 정중하다고 할 수 없었다. 하지만 유태일 감독은 예의를 갖추어 대답했다.

"예, 알겠습니다. 걱정 마십시오."

그는 차지은에게 눈길을 돌리며 말했다.

"준비되는 대로 바로 촬영 들어갈 테니 차지은 배우님도 준비해 주세요. 상희 친구들도 준비해 주십시오."

상희 친구들은 모두 이도원 또래였다. 하지만 그들은 특수 분장을 해서 스물일곱 살로 꾸민 이도원의 나이를 짐작하지 못했다. 오로지 안면이 있는 차지은만 깔깔 웃으며 그를 놀렸다.

"오빠, 완전 큰오빠 다 됐네요!"

교복을 입은 차지은은 더할 나위 없이 예뻤다. 이도원조차 순간적으로 설렐 만큼 풋풋한 느낌이었다. 고개를 흔들며 정신을 챙긴 그는 특수 분장한 얼굴을 손가락으로 두드리며 투덜댔다.

"이거 느낌이 엄청 불편해."

"여자들은 화장하면 항상 그런 느낌을 달고 살거든요. 예뻐 보이려고. 여자한테 잘해야겠죠?"

"그래, 그러네."

이도원은 건성으로 대답했다.

이내 모든 스태프가 촬영 장비를 세팅했다.

유태일 감독이 말했다.

"배우들 위치해 주세요."

차지은과 상희 친구들 역할의 남녀 학생 넷이 정자 곳곳에 앉고 서서 위치했다. 또한 정자 한구석에 오토바이 두 대를 세워놔서 분위기를 살렸다.

차지은은 손에 불을 붙이지 않은 담배를 들고 있었다. 그들은 먼저 함께 웃고 떠드는 연기를 해야 했다.

이도원은 정자에서 조금 떨어진 곳에 서 있었다. 그가 등장하며 차지은의 손에 들린 담배를 보고 친구들을 혼내는 장면이었다.

유태일 감독이 촬영 개시를 알렸다.

"상태가 다가가는 장면, 와이드 샷(WS : 배경을 포함해 광범위하게 잡는 샷)으로 갑니다. 카메라 롤."

조명이 켜지고 카메라가 돌아갔다.

스크립터가 슬레이트를 치며 말했다.

"씬 넘버 7의 1. 테이크 원!"

촬영장이 조용해지자 유태일 감독이 크게 신호를 보냈다.

"배우들 레디, 액션!"

차지은과 상희 친구들이 깔깔거리며 시끌벅적하게 대화를 나누기 시작했다. 그중 욕이 반이었다.

멀리 떨어진 이도원이 잠시 걸음을 멈추더니 그들을 발견하고 다가갔다.

그때 웃고 떠들던 아이들의 소리가 잠시 끊어졌다.

"컷. 엔지."

유태일 감독이 말했다.

"상희 친구들, 대사 끊이지 않게 실제로 대화할 소재를 정해요. 불량한 걸로."

그들이 작전회의를 했다.

잠시 후 상희 역의 차지은이 외쳤다.

"됐어요! 감독님!"

고개를 끄덕인 유태일 감독이 말했다.

"카메라 롤."

스크립터가 슬레이트의 테이크 숫자를 2로 바꾸었다.

"씬 넘버 7의 1, 테이크 2."

마침내 유태일 감독이 외쳤다.

"레디, 액션!"

이도원이 할 연기는 간단했다. 학생들에게로 걸어가면 되는 것이다. 하지만 그는 감정을 드러내는 섬세한 몸동작을 가미했다.

잠시 멈춰 서 있던 이도원이 고등학교도 중퇴한 막노동꾼, 상태 역에 어울리도록 껄렁대는 발걸음을 보였다. 그는 무언가 고민하는 듯 중간에 점차 속도를 줄이더니 상희가 보일 정도의 거리부터 걸음이 빨라졌다.

그 모습이 정자 밑으로 사라질 때쯤 유태일 감독이 신호를 보냈다.

"오케이, 컷!"

그는 말을 이었다.

"다음은 미디엄 샷(MS : 인물의 허리 위를 잡는 샷)으로 상희랑 친구들 가겠습니다."

드라마에서는 웨이스트 샷으로도 불리는 이 촬영 기법은 두 사람 이상이 대화할 때 주로 사용되는 기법이었다.

이도원이 빠지고 상희 역의 차지은과 상희 친구들이 연기를 했다.

"야, 저기 상희 오빠 아니야?"

한 여학생의 물음에 그들의 시선이 한쪽으로 몰렸다.

차지은은 바닥에 침을 뱉으며 눈살을 찌푸렸다.

"아, 짜증 나네. 얘들아, 나 집에 들어가야겠다."

전에 없이 거친 말투였다.

모니터를 보고 있던 이도원은 피식 웃었다.

'확실히 다른 애들보단 잘해.'

상희 친구 중 남학생이 껄렁대며 말했다.

"오빠면 대수야? 놀다 간다고 그래~"

다른 남학생이 그를 툭툭 건들며 고개를 저었다.

"야, 상희 오빠 몰라? 우리 누나가 말해줬는데, 옛날에 졸라 무서운 형이었대."

"어쩌라고. 꼰대 새끼."

껄렁대던 남학생은 굽히지 않았다.

"어, 안녕하세요!"

상희 친구들이 한쪽으로 인사를 했다.

차지은만 뻣뻣하게 고개를 들고 노려보다가 물었다.

"완전 열받은 표정이네? 어쩌라고?"

그녀는 들고 있던 담배를 부러뜨렸다.

"오케이, 컷!"

유태일 감독이 자르고 말했다.

"미디엄 클로즈업(MS : 인물의 가슴이나 어깨 위를 잡는 샷)으로 상희 표정 따고, 담배 부러뜨리는 부분은 손만 따로 찍겠습니다."

촬영은 물 흐르듯 이어졌다.

차지은 부분이 모두 끝나자 유태일 감독은 이도원을 보며 말했다.

"상태 씬 들어갑니다."

이도원이 아이들이 바라보던 곳에 섰다.

"자, 풀 샷(FS : 인물의 머리부터 발끝까지 프라임 안에 담은 샷), 카메라 롤."

풀 샷은 대부분 인물이 출입하거나 대화하며 걷는 장면을 찍을 때 사용하는 촬영 기법이었다.

유태일 감독은 모니터를 통해 카메라 구도를 확인하고 말했다.

"레디, 액션!"

신호에 따라 이도원이 표정을 일그러뜨렸다. 비행을 저지르는 동생을 마주한 실망감과 더불어 분노가 치솟았다.

"너, 이게 뭐 하는 짓이야?"

그는 차마 동생 상희에게 분을 풀지 못했다. 세상 무슨 일이 있어도 함부로 하지 못하는 유일한 존재가 바로 상희였다. 그는 상희에게 화를 내는 대신 상희 친구들에게로 화살을 돌렸다.

"니들은 뭐야?"

카메라가 잡히지 않는 곳에서 껄렁한 남학생을 연기했던 학생이 대본을 보며 대사를 쳐주었다.

"아니, 왜 우리한테 그래요~ 아, 졸라 짜증 나네."

이도원은 한숨을 푹 쉬고 고개를 두어 번 끄덕였다.

"그래, 그럴 수 있지. 억울할 거야."

그가 고개를 들어 서늘한 눈빛으로 남학생을 보았다. 그리고, 잠시 닫아두었던 말문이 열렸다.

"근데 좀 맞자."

*　　　　*　　　　*

"오케이, 컷!"

오케이 사인을 내린 유태일 감독은 이어서 주문했다.

"상태 미디엄 샷(MS, 인물의 허리 위를 잡는 샷) 한 번 더 갈게요."

이도원이 표정에 좀 더 신경 쓰며 똑같은 연기를 했다.

다시 들어도 이도원의 음성은 나직하고 확고했다.

유태일 감독은 헛웃음을 뱉었다.

'영락없는 양아치군. 그러면서도 가볍지 않고.'

그는 컷 사인을 보냈다.

"오케이, 컷."

"휴우, 이제 맞아야 하네."

이도원 맞은편에서 남학생이 울상을 지었다.

그를 보며 이도원이 말했다.

"미리 사과할게요. 빨리 끝내죠."

"아이고. 말씀 놓으세요, 형."

남학생은 친근하게 말하며 어깨를 으쓱였다.

"어차피 연기인데요, 뭘. 근데 형 진짜 일진이에요? 연기가 너무 자연스러워서, 보다가 간 떨어지는 줄 알았어요."

"아니요. 일진 아닌데요."

이도원이 피식 웃었다.

그를 보며 차지은이 눈을 흘겼다.

"이상하다. 일진 맞는 것 같은데. 하는 행동이나 말투나……."

"무슨 근거로?"

이도원이 묻자 그녀가 대답했다.

"그렇잖아요. 초면에 대놓고 연기 못한다고 하고, 안하무인이고."

"초면에 대놓고 말한 건 맞지만 안하무인은 아닌데."

그는 단호하게 말을 이었다.

"나는 일진 뭐 이런 거랑 거리가 멀다. 약한 애들 괴롭히지도 않고."

그 말에 다른 학생들이 한마디씩 했다.

"형이 연기를 너무 잘해서 그런 거죠."

"오빠, 분장했는데도 잘생겼어요."

"몇 살이에요?"

이도원은 피식 웃으며 대답했다.

"열일곱."

여학생들이 깜짝 놀랐다.

"어? 다 동갑이네?"

"우리 동갑한테 존댓말한 거임?"

남학생들도 표정을 구겼다.

"분장 때문에 몰라봤네."

"동갑한테 형이라고 했어. 개웃겨."

그들이 낄낄 웃었다.

이도원은 학생들이 귀여웠다.

'애들은 웃음이 많단 말이야. 좋겠어.'

타임 슬립 전 학생들이 세상 물정 모르고 즐겁게 노는 모습을 보며 추억을 그리기도 하고, 한편으로 부러웠던 이도원이었다. 그런데 지금은 그 추억 속에 와있는 것이다.

'행복하군.'

타임 슬립하기 전 이도원의 나이는 서른일곱, 아이들은 열일곱 살이었다. 그 괴리감은 전적으로 어울리는 데에 장애가 되었다.

그들이 소소한 대화를 나누는 동안 스태프들이 장비를 모두 옮겨서 배치했다. 그 작업이 끝나자 유태일 감독이 말했다.

"촬영 재개합니다. 배우들 위치해 주세요."

잇따라 조감독이 크게 외쳤다.

"모두 조용해 주세요!"

스태프들은 한결 바빠졌다. 영화 촬영을 구경하러 온 주민 몇몇을 통제해야 했던 것이다. 실내보다 외부 촬영은 좀 덜했지만, 아주 작은 소리만 내도 엔지가 날 수 있는 건 마찬가지였기 때문에 각별한 주의를 주었다.

유태일 감독은 그쪽은 신경 쓰지 않고 소음이 가라앉자 사인을 보냈다.

"카메라 롤."

쥐 죽은 듯 조용해진 상황에서 그가 말했다.

"레디, 액션!"

이도원이 손찌검을 했다. 그의 손바닥에 따귀를 맞은 남학생은 그만 주저앉았다.

짝 소리가 크게 났다.

'겁나 세게 때리네! 나한테 감정 있나?'

남학생은 쓰러지자마자 반사적으로 이도원에게 눈을 부라렸다. 저절로 자연스러운 연기가 나온 것이다.

유태일 감독은 슬며시 미소를 지었다.

'좋아. 촬영을 할 줄 아는군.'

상대방에게 미안해서 어물쩍거리다간 오히려 많은 엔지가 날 수 있었다. 그런 일이 초래되지 않도록 이도원은 첫 연기 때부터 최선을 다한 것이다.

그때 개가 짖었다.

왈! 왈! 왈!

동네 주민이 데려온 애완견이었다.

"엔지! 컷!"

유태일 감독의 신경질적인 목소리에 고조됐던 긴장감이 산산이 부서졌다. 그는 오디오 스태프에게 물었다.

"살릴 수 있겠어?"

"아뇨, 선배님. 진작 그르렁거리는 소리가 걸렸어요."

"왜 진작 말 안 한 거야?"

"죄송합니다."

그는 배우들에게 외쳤다.

"죄송합니다! 한 번 더 갈게요."

이도원은 자신에게 맞은 남학생을 일으켜주었다.

"괜찮아?"

"아, 예."

얼굴 표정이 좋지 못했다. 이것이 프로와 아마추어의 차이였다. 물론 프로도 프로 나름이었지만.

'그나저나 큰일이군.'

유태일 감독은 스태프들이 애완견 주인과 얘기가 길어지는 걸 보며 현장을 통제했다.

"오 분만 쉬다 가겠습니다."

그는 애완견 주인과 스태프가 실랑이하는 곳으로 갔다.

"아니, 난 이곳 주민인데 내 마음대로 산책도 못 해요? 촬영 때문에 시끄럽다고 주민신고할까요?"

"아주머니, 그게 아니고… 금방 끝납니다. 그 정도는 이해 좀 해주세요."

절체절명의 순간, 이제 갓 일 학년 스태프는 쩔쩔매며 대답하고 있었다.

민원이 발생하면 삼십 분 내 동사무소 직원이 나와 민원을 해결해 주게 마련이다. 그럼 최악의 경우 촬영을 중단하고 다신 이곳을 이용하지 못해 지금까지 촬영분을 날려먹을 수도 있었다.

그때 유태일 감독이 나서며 물었다.

"조감독한테 못 들었어?"

그는 애완견 주인에게 눈길을 돌리며 말을 이었다.

"촬영 전, 사전에 구청에 신고하고 진행하는 촬영입니다. 게다가 사유지가 아닌 도로는 구청 소유죠. 더구나 동 대표님께 미리 안내문도 돌렸고 양해도 구했습니다. 즉, 민원 제기하셔도 소음공해나 실생활에 불편을 주지 않는 한해서는 문제가 없단 뜻이죠."

"뭐… 뭐라구요?"

애완견 주인은 얼굴이 홍시처럼 붉어졌다.

그녀에게서 눈을 뗀 유태일 감독이 스태프들에게 말했다.

"다시 촬영 들어갈 준비합니다. 모니터링하는 오 분 동안 쉬겠습니다."

그는 자리로 돌아가 앉아서 모니터를 보았다.

곁에서 조감독이 물었다.

"선배님이 직접 로케이션(Location : 장소 섭외) 안 하셨잖아요? 언제 구청에 신고하셨어요?"

유태일 감독은 모니터에서 시선을 떼지 않고 대답했다.

"이런 자잘한 촬영을 누가 일일이 신고하고 하냐? 당연히 뻥이지."

"그러다 저 아줌마가 진짜 민원 넣으면요?"

"정확하게 설명했으니까 신고 안 해. 쓸데없는 거 신경 쓰지 말고 이것 좀 봐봐."

그가 가리킨 장면은 이도원이 남학생의 뺨을 때리는 씬이었다.

　"이게 왜요?"

　"원래 풀 샷으로만 잡고 클로즈업해서 찍진 않으려고 했는데. 표정, 아깝지 않냐?"

　"그래도 그걸 어디 넣습니까? 어차피 편집하면서 잘릴 텐데요."

　"때리고 상희한테 고개 돌리면서 클로즈업으로 표정 따자. 흥분한 표정이 너무 잘 나와서 버리기 아깝다."

　"괜히 이것저것 넣으려다 망가지는 거 아시잖아요?"

　"과감한 편집 유태일, 몰라? 애들이 편집 다 나한테 맡긴다. 촬영한 장면 싹 다 잘려 나가는 거 보면서 살점이 떨어지는 표정을 지어대지. 난 안 그래. 이건 건지는 컷이야."

　"으음… 알겠습니다. 틀리신 적 없으니까, 한번 믿고 가보죠."

　"곧바로 줌 당겨서 클로즈업하고, 어색한 부분은 포스트 프로덕션(Post production : 촬영 후 편집) 때 잘라내자."

　"알겠습니다."

　어차피 영화는 편집이 반이었다. 따라서 촬영한 소스는 많을수록 좋았다. 다양한 소스가 유태일 감독의 뛰어난 편집기술과 만나면 얼마든 좋은 장면을 만들어낼 수가 있는 것이다. 쉽게 수긍한 조감독이 크게 외쳤다.

"촬영 들어갑니다. 배우들 위치해 주세요!"

촬영이 재개됐다.

＊　　　　＊　　　　＊

이도원은 또다시 뺨을 날렸다.

짝!

고개가 돌아간 남학생이 볼품없이 넘어졌다.

'손은 더럽게 맵네!'

그는 정신이 아찔했다.

이도원은 그대로 차지은에게 고개를 돌렸다.

"네가 잘못해서 친구들이 맞는 거야."

"네가 뭔데 내 친구를 때려?"

차지은이 표정을 일그러뜨리며 경멸에 찬 어조로 말을 이었
다.

"나이 처먹고 유치하게, 진짜."

그녀는 성큼성큼 정자를 나가 버렸다. 그 모습을 눈으로 쫓
던 이도원이 남학생에게 손을 뻗었다. 시나리오에는 없던 행동
이었다.

유태일 감독의 눈이 번쩍 뜨였다.

'설마?'

그는 스태프들에게 손을 저어 계속 찍으라는 신호를 보냈다.

유태일 감독의 예감대로, 이도원은 연기를 이어가고 있었다.

"일어나라."

남학생은 이도원의 눈빛을 마주쳤다. 거역하기 힘든 강렬한 눈빛이었다. 눈빛만 봐도 이도원이 연기를 계속하고 있다는 사실을 알 수 있었다.

"아… 예."

남학생은 당황한 상태로 중얼거리며 일어났다. 그리고 머지 않아 적응하며 겁먹은 표정을 지었다. 이도원이 지갑을 꺼내 뒤적이더니 지폐 몇 장을 건넸다.

"너 선영이 동생이지? 상처가 난 것도 아니고, 부러진 것도 아니니까… 이거 받고 끝내자."

"…예."

카메라가 돈을 받는 모습을 고스란히 담았다.

유태일 감독이 오케이 사인을 보냈다.

"오케이, 컷. 선영이는 누구야?"

그가 씨익 웃으며 물었다.

스태프들도 한마디씩 했다.

"애드리브 좋았습니다!"

"잘 나왔어요!"

유태일 감독이 이어서 지시를 내렸다.

"이제 상희 친구 클로즈업해서 하나 따고 넘어갈게요. 각 인물들 클로즈업이랑 풀 샷, 미디엄 샷까지 몇 개 더 따고 오늘 촬영은 마치겠습니다. 듣기에는 간단해도 모두 끝내려면 새벽까지 이어질 테니까 한 명씩 따로 촬영할게요."

그는 손목시계를 확인했다. 밤 열두 시가 넘어가고 있었다. 슬슬 스태프들과 배우들이 지치고 허기질 시간이었다. 여러 구도에서 촬영을 하려면 새벽 3, 4시는 넘어야 철수할 터였다.

"조감독, 야식 시켜봐."

"예, 선배님. 치킨으로 가겠습니다."

야식을 주문하는 동안 한숨 돌릴 시간이 났다. 배우들은 촬영장 한구석에 있는 음료수를 마시며 기다렸다. 모두들 쏟아지는 졸음을 이겨내려는 표정이 역력했다.

그들을 바라보던 유태일 감독이 격려했다.

"차지은 배우님부터 찍겠습니다. 스태프들과 차지은 배우님 먼저 위치해 주세요. 나머지 배우님들은 카메라에 안 걸리게 모두 조명 뒤로 물러나 주십시오. 조금 더 힘내서 갑시다!"

그는 활기차게 말했다.

레디, 액션 신호도 더 쾌활한 목소리로 외쳤다. 나머지 학생들은 한쪽에 웅크리고 앉아 구경을 했는데, 이도원만 모니터 옆에서 떨어질 줄 몰랐다.

'여기서 보니까, 확실히 능력 있는 스태프들이야.'

이도원은 모니터를 주시하며 내심 감탄하고 있었다. 유태일이 카메라 구도까지 섬세하게 지시 내리긴 했지만, 나머지는 온전히 스태프들의 능력이었다.

그때 차지은이 모니터 쪽으로 왔다.

"감독님, 저 가봐야 할 것 같아요. 수고하셨습니다."

그녀는 오늘 촬영 분량을 모두 마친 상태였다.

"차지은 배우님은 먼저 가셔도 좋습니다."

유태일 감독의 허락이 떨어졌다.

차지은은 스태프들에게 인사하고 이도원에게 말했다.

"오빠, 먼저 가서 죄송해요."

"집으로 가는 거야?"

"아뇨. 라디오 있어서……."

"쉬러 가는 것도 아니네, 뭐."

이도원은 빙긋 웃으며 그녀의 어깨를 토닥였다.

"고생이 많아. 아까 이동할 때 감독님한테 들었는데, 오늘 새벽부터 어린이 드라마 촬영하고 온 거라며?"

그 말을 하면서도 돈은 참 많이 벌겠지 싶었다. 그런 자신이 속물처럼 느껴진 이도원은 고개를 저으며 위로했다.

"정말 바쁘고 힘들겠구나."

차지은이 환하게 웃으며 대답했다.

"에이. 매일 하는 건데요, 뭘. 좋아서 하는 거고요. 그럼 가볼게요! 오빠, 그러다 모니터 속으로 빠질지도 몰라요."

그녀는 꾸벅 인사하고 상희 친구 역의 학생들과도 작별했다. 그들은 단역이었기 때문에 이 작품에서 서로 다시 볼 일은 없을 것이다.

차지은이 현장을 떠나기 무섭게 유태일 감독이 불쑥 물었다.

"이도원 배우님이 마지막으로 촬영해도 될까요?"

상희 친구 역할의 단역들은 개런티가 적었다. 더구나 이번 촬영이 끝나면 다시 등장하는 씬도 없다. 그럼에도 꼼꼼한 촬영으로 많은 시간을 붙잡아둔 것이다. 그들 모두 심신이 지친 상태였기 때문에 불만이 나올 수 있었다. 이런 상황을 한눈에 파악한 이도원은 고개를 끄덕였다.

"예, 물론이죠."

"촬영할 때 집중할 수 있도록 눈이라도 좀 붙여두세요."

유태일 감독이 자가용 있는 쪽을 고갯짓했지만 이도원은 사양했다.

"아닙니다. 구경하는 게 좋아요."

몇 년 만에 돌아온 현장인지 모른다. 그는 깨기 싫은 꿈을 꾸는 기분이었다.

'즐겁군.'

이도원은 행복감에 젖어 남몰래 웃었다.

만약 단역들이 그의 표정을 보았다면 실성했다고 여길 것이다. 단역들의 표정은 완전히 상반돼 지치고 짜증 난 상태였다. 그들을 본 이도원은 새삼 차지은과 비교가 됐다.

'생각해 보면 차지은도 정말 대단해.'

나이는 차지은이 더 어렸다. 그녀는 훨씬 험난한 스케줄을 소화하면서도 불평 한마디 하지 않았다. 혹자는 그녀가 유명세를 얻은 만큼 대우를 받으니 그럴 수 있다고 말할 것이다. 하지만 이도원의 생각은 조금 달랐다.

'불평하는 사람은 어딜 가든, 어떤 위치에 있든 불평을 하지. 일찍 시작한 사회경험 때문인지 모르겠지만 차지은은 저들보다 훨씬 성숙하다. 얼굴만 예뻐서 그 자리까지 간 건 아니란 뜻.'

물론 상희 친구 역할의 단역 학생들이 보편적이었다. 그 나이다운 모습이었다. 다만 차지은이 나이에 비해 성숙할 따름이다.

이런저런 생각을 하는 동안 유태일 감독의 촬영지시가 이어졌고, 스태프들은 쉴 틈 없이 일을 했다. 그리고 결국 사고가 터졌다.

이도원에게 뺨을 맞았던 남학생이 무어라 이야기하더니, 집에 가려는 듯 가방을 메고 일어났다. 현장 분위기 때문이라도 하기 어려운 행동이었다.

"아, 씨. 도저히 못 해먹겠다."

그는 다른 남학생에게 말했다.

"네가 오자고 해서 왔더니 이게 뭐야? 출연료도 오늘 안 준다잖아!"

현장이 순식간에 고요해졌다.

모든 스태프의 분노한 시선이 그를 향했다.

유태일 감독은 팔짱을 끼고 사태를 관망했다. 그에게 다가온 스태프가 물었다.

"어떻게 할까요?"

"그냥 출연료 주고 보내."

유태일 감독은 관심을 끄며 모니터로 고개를 돌렸다. 현장에서는 늘 예측하지 못한 사건이 벌어진다. 이런 사소한 일로 일일이 신경을 썼다간 신경과민으로 미쳐버릴 것이다.

한편 이도원은 눈살을 찌푸렸다.

'오해가 있는 것 같은데.'

그는 유태일 감독에게 말했다.

"제가 좋게 타일러 볼까요? 충분히 납득시킬 수 있을 것 같은데."

"굳이 납득시켜 주고 싶진 않군요. 이 현장의 모든 사람이 저 학생을 위해 일하는 게 아니니까요. 어리광이 통하면 세상이 자신의 뜻대로 돌아가는 줄 알고, 모두 자신에게 맞추는 것이 당연하다고 착각을 할 텐데… 받아주고 싶지 않습니다."

이도원은 고개를 끄덕였다.

그때 남학생이 이도원에게 성큼성큼 걸어와 물었다.

"너, 아까 나 쳤냐?"

남학생은 심사가 단단히 꼬여 있었다. 이 정도면 거의 막장이었다. 간혹 현장에서 불만을 표하는 배우들이 있었지만 이건 정도가 지나쳤다.

이도원이 피식 웃었다.

"나 참… 너도 연기를 배우는 처지 같은데 배우란 말이 아깝다. 그리고 촬영은 진즉에 끝났어. 네가 그만 꺼져도 된다는 뜻이지."

이도원은 웃는 낯을 하고 있었지만 매우 화가 난 상태였다. 그가 가장 싫어하는 인간이 남에게 피해를 주는 인간이었고, 두 번째로 싫어하는 인간이 장난하듯 연기를 하는 부류였다.

이도원은 나직하고 서늘한 목소리로 말을 이었다.

"더 중요한 걸 알려줄까? 지금 하는 모든 촬영은 너희 분량을 늘려주기 위한, 너희를 위한 촬영이란 사실이다."

그는 얼굴을 바짝 갖다 대며 물었다.

"한 대 더 맞을래?"

*　　　　*　　　　*

그 말을 들은 남학생은 이를 악물었다. 피하기 싫었지만 이도원은 외모부터 범상치 않았다. 말끔한 외모로 선하게 웃을 때는 몰랐는데, 인상을 찌푸리자 함부로 대하기 힘든 분위기를 풍겼다. 더불어 이도원은 하루도 거르지 않는 체력 단련으로 탄탄한 체격까지 갖추고 있었다.

유태일 감독은 그를 보며 다른 생각을 했다.

'여러 역할을 소화할 수 있겠어.'

남학생의 객기는 유태일 감독에게 신경 쓸 가치조차 없는 어리광이요, 재롱에 불과했다.

그때 조감독이 남학생의 팔을 끌어당겼다. 남학생은 실로 매단 연처럼 맥없이 끌려갔다. 조감독은 하루 종일 무거운 카메라나 조명, 마이크을 들며 1, 2학년 시절을 보냈다. 게다가 군대까지 다녀온 조감독의 아귀힘은 상상을 초월했다.

"여기, 돈."

조감독이 출연료로 오만 원 짜리 지폐 한 장을 건넸다.

남학생은 얼굴을 붉힌 채로 별수 없이 돈만 챙겨서 집으로 돌아갔다.

상황을 지켜보고 있던 유태일 감독이 그 남학생과 함께 온 다른 남학생을 손짓해 불러서 물었다.

"둘이 친합니까?"

"아니요. 연기학원에서 만났는데, 안 지 며칠 안 됐어요."

유태일 감독은 고개를 끄덕였다. 두 학생은 성향이 많이 달랐다. 둘은 오디션 때부터 그다지 친해 보이지 않았다.

그렇잖아도 유태일 감독은 일찍이 집에 간 남학생의 성의 없는 태도가 마음에 걸렸다. 다만 둘 중 반항아의 이미지를 가진 학생에게 대사를 주었을 뿐이다. 아니나다를까, 촬영 내내 툴툴대던 남학생은 예상 밖의 돌발행동을 보이고 집에 갔다. 유태일 감독은 피해를 끼친 남학생을 스크린에 내보낼 생각이 없었다. 따라서 자신이 부른 학생에게 물었다.

"불평 안 하고 열심히 하던데. 촬영이 더 길어져서 힘들 테지만 그 남학생이 했던 역할 한번 해볼래요? 이 영화는 장편이고, 졸업 작품을 넘어서 영화제까지 출품을 할 겁니다."

"예! 감사합니다."

남학생이 고개를 꾸벅 숙였다. 마침 동행한 친구 때문에 자신까지 찍히진 않을까 걱정하고 있었다. 그는 연기에 대한 욕심도 많았고, 연기도 열심히 했다. 집에 간 친구가 타고난 점들 때문에 연기를 더 잘한다는 평가를 받을 때마다 억울했다. 재능을 갖고도 노력하지 않는 모습을 볼 때마다 속이 뒤집어졌다. 그런데 자신에게 기회가 온 것이다.

한편 유태일 감독은 이도원에게 눈길을 주었다.

"이도원 배우님도 괜찮겠죠? 한 번 더 찍을 건데."

'이미 결정하고서 묻긴.'

이도원은 내심 웃었다.

물론 두말할 것 없이 괜찮았다.

"예. 당연하죠. 전 연기를 한다는 자체가 행복합니다."

다소 낯간지러운 소리였지만 진심이 느껴졌기 때문에 누구도 비웃지 못했다.

남학생은 이도원을 동경 어린 눈빛으로 보았다. 오늘 하루 촬영을 하면서 이도원에 대한 선망이 자리 잡고 있었다. 놀라운 연기력과 시종일관 여유로운 태도를 보이는 것도 멋졌지만, 더 큰 이유는 따로 있었다.

'우리와 어울리지 않고 하루 종일 모니터 앞에 붙어 있었어. 그렇게 연기를 잘하면서도……'

압도적인 연기력을 처음 봤을 땐 단순한 천재인 줄 알았는데 노력하는 천재였다.

남학생은 결연한 표정으로 유태일 감독과 이도원에게 말했다.

"감사합니다, 감사합니다."

"롱 테이크로 갑니다. 조명은 필라이트(Fill light : 명암을 줄이고 어두운 영역의 디테일을 비춘다)로. 두 사람 그대로 연기 펼치고 액션 부분에선 카메라가 따라 움직일 겁니다. 편하게 연기하세요. 두 배우님은 애드리브로 장면을 끌어가도 됩니다."

카메라를 들고 움직이면서도 흔들리지 않아야 하는 어려운 촬영 기법이었다. 고난도 기술이 필요하지만 편집을 최소화할 수 있어 보다 자연스러운 연출이 가능하다. 어쩔 수 없이 다른 구도나 부분적인 면은 따로 따야겠지만 롱 테이크를 찍어두면 편집이 다양해진다.

이윽고 유태일 감독이 지시했다.

"카메라 롤."

스크립터가 슬레이트를 내렸다.

유태일 감독이 사인을 보냈다.

"레디, 액션!"

남학생은 신호가 떨어지기 무섭게 돌변해서 툭 뱉었다.

"아… 씨발."

그는 이도원을 삐딱하게 마주 보며 물었다.

"왜 우리한테 그래요? 상희 오빠면 다야? 존나 무서워서 동네 못 돌아다니겠네."

짜릿한 느낌이 현장의 모든 인원을 강타했다.

'이것 봐라?'

내심 놀란 이도원이 고개를 끄덕이며 대사를 쳤다.

"그래, 그럴 수 있지. 억울할 거야."

그는 굳이 애드리브를 섞지 않았다. 남학생이 연기하기 편하게끔 앙상블을 맞추기 위함이었다. 그는 전과 똑같이, 서늘하게 말을 이었다.

"근데 좀 맞자."

그 순간 손찌검이 이어졌다. 퍽 소리와 함께 남학생의 고개가 세차게 돌아갔다. 그러나 남학생은 쓰러지는 대신 한 발 물러나며 비틀댔다. 그는 침을 퉤 뱉은 뒤, 기가 죽지 않으려는 듯 고개를 쳐들었다.

이도원이 내심 감탄했다.

'제법인데. 자연스러워.'

그는 애드리브를 살짝 섞었다.

"불만이 많나 보네? 너 선영이 동생이지?"

"…그런데요."

남학생은 아킬레스건을 잡힌 듯 주춤거렸다. 잠시 망설이던 그는 뒷짐을 지고 고개를 살짝 숙였다.

"누나한텐 비밀로 해주세요."

그때 유태일 감독이 연기를 끊었다.

"오케이, 컷."

그는 더 이상의 애브리브를 자르고 말했다.

"두 배우 연기는 좋았습니다. 딱 여기까지예요. 가혹한 이야기지만 좋은 조연과 단역은 자신의 역할까지 하는 겁니다. 가장 어려운 연기는 '가만히 있는 것'이라는 말이 괜히 나온 게 아니죠. 영화 전체로 봤을 때 불필요한 씬이 커지거나 캐릭터가 목적 이상 의미를 뽐내게 되면, 상대적으로 주연이나 핵심적인 씬들의 비중이 떨어집니다. 이건 잔소리고, 여기까지는 좋았습니다."

이도원은 내심 고개를 끄덕였다.

'과할 뻔했지. 욕심이 많은 녀석이야.'

남학생을 보며 짧게 단상한 이도원이 시선을 돌렸다. 유태일 감독은 배우의 연기 욕심이 정도를 넘는 순간을 정확히 포착하고 컷 사인을 보냈다.

'혀를 내두를 만한 판단력.'

이도원은 놀란 심정을 내색하진 않았다.

유태일 감독이 두 사람과 모니터링을 하며 말했다.

"어차피 아까 집에 간 친구랑 체격이나 헤어스타일이 비슷하니까 잘 버무려서 편집하면 그림 나오겠군요. 생각보다 잘해준 덕분에 더 좋은 장면을 건졌습니다. 약속대로 아까 그 친구 대신 스크린에 얼굴이 나올 거예요."

여러 구도에서 촬영이 끝난 학생들은 먼저 집으로 갔다. 한 번 사건이 있었기에 그 후로 반발하는 학생들은 없었다.

마지막으로 이도원이 남았을 때까지, 함께 연기했던 남학생이 남았다. 그는 자신의 촬영분이 끝났는데도 집에 가지 않은 것이다. 장시간 함께하며 말을 놓기로 했던 이도원이 마티니(Martini : 그날의 마지막 씬)를 앞두고 물었다.

"왜 안 가?"

"네 연기, 마저 보고 가려고."

과연 연기에 대한 욕심이 많은 친구였다.

이도원이 물었다.

"이름이 오준식이라고 했나?"

"응. 집에 가기 전에 번호 찍어줘."

그 말을 들은 이도원은 씩 웃으며 고개를 끄덕였다.

'또 볼 일이 있겠네.'

＊　　　＊　　　＊

마티니는 생각보다 수월하게 끝났다.

유태일 감독은 이도원을 보며 생각했다.

'늦게 달아오르는 타입인가 하면, 처음부터 잘했어. 현장에 익숙해질수록 계속 발전하는 것뿐이다. 원래 현장감이 있었다는 뜻인데.'

유태일 감독은 고개를 갸웃했다. 이도원은 이번이 첫 촬영이라고 했다. 그런데 연기의 상승 곡선을 그려보면, 마치 오래 쉬었다 복귀한 현역 배우를 보는 느낌이었다.

유태일 감독은 알쏭달쏭한 기분에 사로잡혀 그날의 마지막 사인을 보냈다.

"오케이, 컷."

유태일 감독이 시계를 봤다.

열 시간에 가까운 촬영 시간 동안 불과 두 씬을 찍었다. 아직 여유가 있으니 중요한 씬에선 최대한 많은 구도로 편집할 장면을 비축해 놓자는 의미였다.

"오늘 수고하셨습니다."

유태일 감독은 불평 한마디 없이 임해준 이도원을 치하했다.

이도원 역시 고개를 꾸벅 숙였다.

"감사합니다, 감독님. 스태프분들도 너무 고생 많으셨습니다."

스태프들은 이제 철수를 시작했다. 최대한 빨리 정리를 해도 아마 여섯 시나 되어서야 잠이 들 수 있을 것이다. 하물며 유태일 감독과 조감독은 밤을 꼬박 새며 오늘 건진 장면들을 모니터링하고 편집해야 했다. 하필 내일은 데이(Day : 낮) 씬이라 스태프들은 두어 시간도 못 자고 다시 촬영 준비를 해야 하는 상황이었다.

"이제 토요일이니까 아침 아홉 시까지 모이기로 하죠."

그야말로 강행군이었다.

스태프들이 배우보다 힘들다는 것을 잘 아는 이도원은 밝게 외쳤다.

"예, 수고하셨습니다!"

이도원은 택시를 잡아타고 집으로 향했다. 택시에서라도 좀 자둬야 밤을 꼴딱 새우고 다시 나오는 일만은 막을 수 있었다. 컨디션이 난조면 연기에도 영향을 미칠 수 있었다.

이도원이 집에 도착했을 땐 이미 문전에 조간신문이 도착해 있었다. 새벽 5시가 조금 넘어 문을 열고 들어가자 아침상을 차리던 어머니가 말했다.

"뭘 이렇게 늦게까지 했어? 어디 그래서 촬영하겠니? 촬영 간다더니 얼굴이 반쪽이 됐… 어맛!"

어머니가 싱크대 위로 그릇을 떨어뜨리며 화들짝 놀랐다. 이도원의 특수 분장이 만든 부작용이었다.

이도원은 맥없이 웃으며 물었다.

"특수 분장이에요. 고생해서 늙어버렸거나 한 건 아니니 걱정하지 않으셔도 돼요. 근데 누나는요?"

"그… 참, 감쪽같네……. 아직 자고 있지."

어머니가 대답했다.

이도원이 고개를 끄덕였다.

머리가 제대로 굴러가지 않아 미처 생각을 못 했다. 토요일 인데다 이른 시간이었으니 당연히 자고 있을 텐데. 이도원은 신발을 벗고 터덜터덜 걸어 들어가며 멍한 상태로 어머니에게 말했다.

"저도 좀 자고 나올게요."

이도원은 특수 분장을 지우기 위해 세수하고, 이를 닦고, 발을 닦고 누웠다. 그러자 졸음이 물벼락처럼 쏟아졌다.

언제 잠들었는지도 모르게 필름이 끊겼던 이도원은 시끄러운 알람소리를 들으며 눈을 떴다.

"우와, 진짜 죽겠네."

사람이 이렇게 피곤할 수 있나 감탄하며 상체를 일으켰다. 제대로 눈을 뜰 수가 없었다. 한참이 지나서야 눈을 뜨고, 어머니가 방문에 기대어 안쓰러운 표정을 짓고 있는 모습을 발견했다.

"어디 그래서 촬영하겠니?"

"재밌어요."

이도원은 반쯤 정신을 놓고 샤워를 했다. 그다음 아침을 먹으러 나갔다. 그리고 언제나처럼 믹서로 야채와 과일을 갈았다. 주말인데도 모처럼 일찍 일어나서 수저를 뜨던 이다원이 물었다.

"그 영화, 학생 작품이라며. 상영되는 거 아니지?"

"왜?"

"상영된다고 하면 애들한테 자랑 좀 하게."

"됐어."

이도원이 딱 잘라 말하자, 이다원은 눈을 가늘게 뜨고 투덜 댔다.

"예, 예~ 그러시겠죠. 대단한 일 하신다고 고성방가를 하질 않나, 당당하게 외박을 하질 않나… 다 참아줘도 소용없네요!"

이도원은 피식 웃으며 건강주스를 한입에 들이켰다.

어머니가 이다원의 머리에 꿀밤을 날리며 나무랐다.

"대체 뭐가 그렇게 불만이셔요? 아주? 열심히 일하고 들어온 동생한테 누나란 녀석이……."

"아, 쫌!"

이다원은 식탁으로부터 피신했다. 그녀는 가방을 메고 현관에 서서 외쳤다.

"미천한 딸은 공부해서 신분 상승하러 독서실 갑니다. 아들만 데리고 사세요, 아주!"

그녀가 퇴장하자 어머니가 물었다.

"그런데 정말 영화 개봉은 안 하니?"

"왜요?"

"그… 오늘 학부모회 아줌마들이랑 영화 보기로 했거든. 다들 자식 얘기밖에 안 하더라."

이도원은 다시 한 번 웃었다.

이도원은 촬영을 위해 중영대학교로 가는 길에 전화 한 통을 받았다. 전화를 건 사람은 다름 아닌 이상백이었다.

─오늘은 뭐 하니?

"촬영하고 일정은 없어요. 끝나는 시간은 정확히 모르겠는데, 어제 철야 촬영하고 스태프들도 자야 해서 아마 저녁때쯤 마칠 것 같습니다."

─그럼 나랑 어디 좀 가자.

"예, 교수님. 그런데 어디를요?"

─낚시터.

"예?"

─아무튼, 끝나고 학교로 와라. 내 차로 가면 되니까.

"아무것도 안 가지고요?"

─내 아들 낚시 장비 있으니까 걱정 말고.

이상백은 대답도 듣지 않고 전화를 끊어버렸다.

'뭐지?'

이도원은 고개를 갸웃했다.

금일 이도원이 촬영할 데이 씬은 상태의 일상을 보여주는 장면이었다. 상태는 일용직 막노동을 뛰고 가끔 일수 일도 나갔

다. 돈 될 만한 일이 있다면 더럽고 험한 일도 마다않는 생활을
전전했다.

마침내 마지막 씬.

이도원은 돈 봉투에 바람을 불어넣었다. 액수를 확인한 그는
일을 알선해 주는 친구 이은조에게 말했다.

"이번에는 좀 적다?"

"아냐. 요즘 경기가 어려워서 그래, 경기가."

이은조가 대답하자 이도원은 피식 웃으며 그를 비꼬았다.

"지랄하고 있네. 니들이야 경기가 어려울수록 잘 먹고 잘
사는 놈들이잖아? 남의 불행을 행복으로 아는 사회 악, 해충
들."

이어서 이도원이 탁자 위에 한쪽 다리를 올려놓고 눈을 찌푸
리며 담배를 하나 꺼내 물었다.

원래 신분이 미성년자기 때문에, 그는 불을 붙이는 대신 라
이터를 찾는 흉내를 냈다.

"불."

이은조 역할의 조연이 라이터를 건넸다.

이도원은 라이터를 받고 자신이 물고 있던 담배를 부러뜨렸
다.

"아니다, 끊어야지."

중얼거린 이도원의 눈빛이 바뀌었다.

그는 라이터를 쥐고 테이블 위에 올려둔 이은조의 손을 내려

쳤다.

쾅! 소리와 함께 이은조가 비명을 질렀다.

"아아악!"

"똑바로 들어."

이도원이 얼굴을 바짝 가져가며 나직하게 말했다.

"내 돈 갖다 장난치면 내가 가만히 두겠냐? 너도 알잖아. 나 부모도 잡아먹은 새끼라는 거."

"미, 미안하다."

이은조가 손을 부여잡고 서둘러 봉투를 하나 더 꺼냈다.

이도원은 돈 봉투를 낚아채며 피식 웃었다.

"그러게 왜 구라를 쳐, 구라를. 인생 진실 되게 살란 말이야, 진실 되게."

그는 영락없는 건달이었다.

유태일 감독이 사인을 보냈다.

"오케이, 컷."

스태프들은 촬영하는 동안 숨이 턱 막혔다. 현장의 방음을 유지하기 위해 감탄을 뱉지도 못했다. 이도원은 충분히 어려울 수 있는 성인 건달의 역할을, 그야말로 압도적인 연기력으로 소화해 낸 것이다.

이은조 역할의 배우가 이도원을 향해 박수를 쳤다.

"진짜 열일곱 살 맞냐? 와, 내 심장이 다 떨리네. 손은 괜찮아?"

그 말대로 이도원의 주먹이 부어 있었다.

유태일 감독이 깜짝 놀라서 물었다.

"테이블 쳤습니까?"

"저렇게 내 손 때렸음 뼈 부러졌죠."

이은조가 엄살을 부리며 말했다.

"열정이 대단합니다. 탁자 보세요."

테이블 한쪽이 부서져 있었다.

이도원의 주먹을 보며 스태프들이 걱정스럽게 물었다.

"괜찮겠어요?"

"병원 가봐야 할 것 같은데……."

유태일 감독이 거들었다.

"그러다 촬영에 지장이 생길 수도 있습니다. 손만 따거나 할 땐 어떻게 하려고요. 너무 경솔했습니다."

이도원은 고개를 살짝 숙였다.

"죄송합니다. 제가 너무 오버했네요. 그래도 오늘 내로 얼음 찜질만 하면 회복될 거예요. 제가 설마 손을 못 쓸 만큼 세게 내려쳤으려고요?"

다들 웃음을 터뜨렸다. 그 행동이 다소 과했더라도, 이도원의 열정은 촬영장의 활기를 지폈다. 피로와 싸우던 스태프들에게도 어느 정도 환기 작용을 했다.

아침 9시부터 저녁 7시까지 촬영한 데이 씬이 성공적으로 마무리되자, 유태일 감독도 전날만큼 스케줄을 빡빡하게 운영하지 않았다. 나이트 씬은 돌아오는 월요일로 미룬 것이다.

"일요일은 차지은 배우님 데이 씬 촬영이 있을 겁니다. 이도원 배우님은 월요일 날 오시면 될 거예요. 촬영 장소랑 시간은 조감독이 연락드릴 겁니다."

"예, 감사합니다."

이도원은 현장의 모든 인원에게 인사를 하고나서야 현장을 떠났다.

6장

프로덕션(Production : 촬영 기간)

촬영을 마친 이도원은 한국예술대학교에서 이상백과 만나 그의 낡은 차에 탑승했다.

'교수가 연봉이 짠가?'

이도원은 고개를 갸웃했다.

한국예술대학교는 국내 최고 명문 예술대학 중 한 곳이다. 그것도 가장 입김이 센 연기과 학과장의 연봉이 적을 리 없었다. 이도원은 이상백이 자신의 연봉을 모조리, 찍는 족족 말아 먹는 영화 제작비로 쏟아붓는다는 사실까진 미처 알지 못했다.

이상백이 운전을 하며 물었다.

"영화 촬영은 잘했나 보구나."

"어떻게 아셨어요?"

"얼굴이 활짝 피었다."

두 사람은 멀지 않은 낚시터로 갔다.

서울에서 수원으로 가기 전 금정역에 위치한 곳이었다.

"내가 종종 오는 곳이다."

'이곳에는 왜 데려오신 거지?'

이도원은 그 의도를 짐작하기 힘들었다. 연기 수업 대신 갑작스러운 낚시라니.

이상백은 낚시터 주인과 이야기를 나누고 자리를 잡았다.

이도원도 얼결에 그를 따라갔다.

"거기 앉아라."

이상백이 자신의 곁에 있는 휴대용 접이식 의자를 눈짓했다.

그 말에 따라 이도원이 의자에 엉거주춤하게 앉으며 물었다.

"교수님, 갑자기 낚시터는 왜 오자고 하신 거예요?"

이상백은 동문서답하며 되물었다.

"오늘도 화술 훈련은 했겠지? 촬영한다고 빼먹진 않았냐는 말이다."

"예."

이도원이 망설이지 않고 대답하자 그는 고개를 끄덕였다.

"그럼 됐다. 안 했으면 혼자 집에 가라고 하려 했다. 그만큼 중요한 거니까."

"중요하죠. 그런데 내일모레가 다시 촬영입니다. 그런데 한가하게 낚시라니……."

"그래서 도착하자마자 저수지는 안 보고, 전전긍긍하는 얼굴로 날 본 거냐?"

이상백은 미소 지으며 호숫가로 고개를 돌렸다.

"보통 낚시터를 오면 풍경을 먼저 보게 마련인데 말이야. 항상 넌 무언가에 쫓기는 표정을 하고 있다. 연기할 때만 빼고."

"제가 그랬습니까?"

이도원은 헛웃음을 흘리며 저수지로 눈길을 돌렸다.

"고요하군요."

"그래서 불렀다. 고요한 곳이라서."

이상백은 낚싯대를 드리운 채로 말했다.

"연기자는 감정 폭이 큰 직업이지. 배우는 마음 둘 곳 없는 사람들이다. 너만 해도 독백 대회가 끝나자마자 영화판에 불려 가지 않았냐? 얼마나 피곤하고 소란스러운 삶이냔 말이야. 앞으로 갈 길에 비하면 아직 그리 바쁜 삶을 살고 있지도 않은데, 네 녀석은 여유가 없어 보인다."

"제가 그렇게 보였나요? 언제요?"

"늘, 항상, 언제나."

대답한 이상백이 말을 이었다.

"너 자신의 마음조차 여유가 없는데 어떻게 다른 인물을 이해한단 말이냐? 짧게 이해하는 척할 수는 있겠지. 빠져드는 척할 수도 있겠지. 하지만 인물을 깊게 이해하려면, 너부터 마음의 여유를 갖고 넉넉한 마음으로, 마음을 열고 다가가야 한다."

"마음의 여유……."

"연애와도 비슷하지. 상대방을 이해하려는 진심이 없으면, 요즘 애들 말로 엔조이일 뿐이야. 절대 감동을 줄 수 없다. 그건 사기꾼이지, 배우가 아니잖니."

이도원의 눈이 저수지에서 떨어질 줄 몰랐다.

이상백은 생각에 잠겨 있는 그를 곁눈질하며 미묘한 표정을 지었다.

"배우는 수많은 캐릭터를 연기하지만, 그렇기 때문에 더더욱 너 자신을 잃으면 안 된다. 캐릭터가 네 안으로 들어가야지, 네가 캐릭터 안으로 들어가면 안 돼. 캐릭터에게 잡아먹히면 그건 연기가 아니란 소리다. 그래서 어떤 캐릭터가 들어와도 자신을 잃지 않을 정도의 공간을 마음 한구석에 갖고 있어야 하지. 그래야만 캐릭터의 단면을 벗어나서, 캐릭터의 삶 자체의 복합적인 모습들을 보여줄 수 있다."

"어렵네요."

이도원이 어렵게 입술을 뗐다.

"전 어쩌면 지금껏 연기하려는 인물에게 잡아먹혔는지도 모르겠습니다."

"네가 더 강해지면 된다. 진짜 강자는 여유를 잃지 않는 사람이지."

이상백은 빙긋 웃으며 덧붙였다.

"남자가 마음이 넓어야지 않겠냐?"

이도원은 느끼는 바가 많았다.

곧 해가 완전히 저물고 깜깜한 어둠이 저수지 위로 내려앉았다.

"낚시는 밤낚시가 묘미지."

"저, 외박 안 되는데요."

"집에 전화 연결해라."

이상백이 칼같이 말했다.

"쓸데없는 핑계 대지 말고. 앞 좀 봐봐, 이 녀석아."

이도원은 궁시렁 대면서도 앞을 보았다.

"예. 봤습니다."

"어디가 물이고, 어디가 하늘인지 맞춰봐라."

이상백의 말을 들은 이도원은 머리가 띵했다.

저수지와 하늘의 경계가 사라져 있었다.

수평선이 자취를 감추자 물 위에 둥둥 떠 있는 형광색 케미컬라이트(낚시할 때 찌에 끼우는 야광봉)만이 경계를 드러내고 있었다.

"저 야광봉들 보이지? 너와 캐릭터 간의 저런 암묵적인 경계가 필요하다. 깊은 감정으로 연기하는 건 좋아. 메소드 연기라고 들어봤지? 많은 사람이 '캐릭터 자체가 되는 감정적인 연기'로 오해하고 있지만, 메소드 연기의 창시자 콘스탄틴 스타니슬랍스키(Konstantin Stanislavskii : 러시아의 연출가·배우·연극이론가)는 '연기란 극 중 캐릭터와 배우가 경험한 어떤 감정을 연결짓는 것뿐'이라고 정의했다."

이도원은 잠자코 들었다.

이상백이 말을 이었다.

"그의 연기법에 영향받은 대가들은 모두 끊임없는 훈련과 기술적인 연기를 강조하고 있다. 그 증거로 로버트 드니로의 스승이자 메소드 연기를 번영시킨 스텔라 애들러(Stella Adler : 미국의 영화배우)는 '배우는 평생 스스로를 편집해야 한다'는 명언을 남기기도 했지. '배우에게 필요한 재능은 연기를 하고 싶다는 마음뿐이면 된다'는 말도."

그 말을 모두 들은 이도원은 뒤통수를 한 대 세게 맞은 느낌이었다.

그는 타임 슬립을 하며 뛰어난 공감과 몰입능력을 얻었다고 해서 무의식적으로 감정적으로만 연기를 해왔다. 그동안 화술 훈련과 체력 훈련 모두 꾸준히 하고 있음에도 정작 연기를 할 때는 써먹지 않고 감정에 기대기만 하는 '편한 방법'을 따랐던 것이다.

이상백이 이도원의 얼어붙은 표정을 보며 덧붙였다.

"내가 왜 이런 이야길 했는지 누구보다 네가 더 잘 알 거라고 생각한다."

어둠을 밀어내며 새벽이 도래하기까지 이도원은 담담하게 생각에 잠겨 있었다.

전생에서 소리를 잃기 전까지 간단한 익스트림 스포츠나 충동적인 취미를 즐기던 그였다. 재능이 뒷받침되지 않아 완벽히 캐릭터를 소화하진 못했지만, 대학 때 배운 기술적인 면으로 대체했다. 제법 실력 있는 조연까지가 한계였다. 주연급 배우의 카리스마를 발휘하진 못했다.

'그때까진 분명 조단역 수준에서 벗어나지 못하고 있었다. 무대를 서도 최고의 연기를 펼친다는 느낌이 들지 않았지. 연기를 잘 끝내고도 항상 무언가 찝찝했다.'

이도원은 그 시절을 떠올렸다. 그러고 보면 정말 실력이 늘었던 것은 소리를 잃고 절망한 끝에 마음의 평정을 찾았을 때였다. 그때부터 이도원의 연기력은 명배우의 반열에 올랐었다. 그랬으니 당시 톱이었던 유태일 감독이 단 한 번의 공연만 관람하고 주연으로 발탁했던 것이다. 그런데 지금은 어떤가?

소리를 찾자 그의 연기는 다시 조단역 시절로 돌아가 있었다.

'스텔라 애들러는 말했다. 신체와 소리의 단련도 중요하지만 배우에게 가장 중요한 건 마음의 단련이라고.'

이도원은 이상백이 이곳에 데려온 이유를 그제야 짐작할 수 있었다. 그는 이도원이 깨달음을 얻길 바랐던 것이다. 무엇에도 미동하지 않는 굳건한 마음을 갖길 바랐던 것이다.

'또 은혜를 입는군요.'

이도원은 미소 지었다.

이상백은 그가 소리를 잃고 절망했을 때 기사회생하게 해준 가르침을 새 삶에서도 일러주었다.

"감사합니다, 교수님."

이도원은 깊이 고개를 숙였다.

곁눈질로 그를 본 이상백이 낚싯바늘을 회수하며 흐뭇한 웃음을 입에 걸었다. 두 사람은 긴 밤 동안 한 마리의 물고기도 낚지 못했다.

*   *   *

낚시터에서 토요일 밤을 꼴딱 지새운 이도원은 일요일도 일찍부터 움직였다. 그는 공사장 부지로 가서 열두 시간이 넘도록 화술 훈련과 대본 연습에 매달렸다.

평일이면 영락없이 밤 촬영이 이어졌고, 주말에는 밤낮 없는 촬영이 계속됐다. 그럼에도 이도원은 화술 훈련을 빼먹지 않기 위해 시간을 쪼개고, 그것도 부족하면 학교에서 보내는 시간을 활용했다. 간간이 만나서 연기를 지도해 주는 이상백 교수마저 지독한 연습벌레라며 혀를 내두를 지경이었다.

눈코 뜰 새 없이 바쁜 생활을 하다 보니, 두 달이 눈 깜짝할 사이 지나가 버렸다.

이도원은 이번 영화의 마지막 촬영을 하고 있었다. 그는 중대병원 병실 앞 복도에서 잠시 휴식을 갖는 중이었다.

그때 불현듯, 이도원의 휴대폰이 울렸다. 문자메시지였다. 종종 연락이 오는 박서진이나 박아현이겠거니 했는데 생판 모르는 번호가 찍혀 있었다.

―미래정신과의원 차수희 원장입니다. 요새 도원 학생이 내원하지 않아 걱정되는 마음에 문자 보내요. 잘 지내고 있죠? 조만간 시간이 나면 한 번 내원해서 그간 일들에 대해 대화를 나누어봐요.

보낸 이는 차수희였다.

모두 읽은 이도원은 가슴 한구석이 찌릿했다.

그가 근래 병원을 찾지 않는 데에는 두 가지 이유가 있었다. 첫째는 말 그대로 바빠서였고, 둘째는 차수희를 떠올리면 이상 야릇한 느낌이 들었기 때문이다. 그는 실로 오랜만에 느끼는 감정의 정체에 대해 잘 알고 있었다.

'내가 그녀를 좋아한다고? 몇 번이나 봤다고…….'

이도원은 자조적으로 웃었다.

그 역시 대부분의 남자가 단순하다는 걸 알고 있었다. 남자는 몇 가지 간단한 조건만 충족되면 호르몬작용만으로도 충분히 호감을 가질 수 있었다. 더구나 지적이고 아름다운 여성인 차수희는 전생에 서른일곱 살이던 이도원과 교제하기에 적당한 연령이다.

같은 일곱 살 차이라도 십 대 때와는 달리, 이십 대 후반과 삼십 대 중반은 큰 차이가 아니었다. 문제는 현재 그의 정신연령과 신체 나이가 모순된다는 사실이다.

'정리해야 한다.'

이도원은 이성적으로 판단했다. 그녀는 자신을 이성으로 바라보지 않을 것이다. 비록 이도원의 정신연령은 서른일곱이었지만 신체 나이는 열일곱 살. 그래서 더 이성적으로 감정을 자제해야 했다.

바쁘면 그녀 생각이 나지 않았다. 하지만 가끔 얼굴이 떠오를 때마다 보고 싶을 뿐이었다.

"난 현재에 만족해."

이도원은 휴대폰 화면을 끄며 중얼거렸다.

우연히 그 말소리를 들은 차지은이 물었다.

"여친 연락이에요? 표정이 심상치 않네요?"

그녀는 이성 관계에 호기심이 많을 나이, 그리고 호기심에 솔직한 나이다. 하물며 두 사람은 두 달간의 촬영으로 많이 친해진 상태였다. 더불어 방학 시즌에 들어가면서부터 촬영 스케줄도 빡빡해졌다. 붙어 있는 시간이 늘어난 것이다.

이도원은 피식 웃으며 고개를 저었다.

"주치의 연락."

"주치의? 오빠, 어디 아파요? 아닌 것 같은데……. 뭐 'Love sick'이니 한 건 아니죠?"

'Love sick'은 직역하면 상사병으로, 유행가였던 노래다. 이도 원의 십팔번이기도 했다.

그는 어깨를 으쓱였다.

"나 여자친구 없어."

"에이, 그것도 뻥."

차지은이 볼 것 없다는 듯 부정했다. 그녀가 보기에 이도원 은 무뚝뚝하고 직설적인 성격이었다. 그러면서도 상반되게 잘 챙겨주고 듬직한 구석이 있었다. 즉, 외모도 근사하고 매력도 넘친다는 뜻이다.

반면 이도원 역시 그녀가 확신하는 이유를 짐작했다. 중, 고 등학생들의 보편적인 기준을 알고 있기 때문이다. 쉽게 사랑에 빠지고 쉽게 아파한다. 절제력이 떨어지고 감정에 솔직한 시기 였다.

이도원은 고개를 저었다.

"연기해야지, 연애할 시간이 어디 있어? 촬영 한 번 들어가면 가족들 얼굴 볼 틈도 없는데."

그 말에 차지은은 고개를 끄덕이며 진심으로 공감했다.

"그러게요. 휴… 친구들은 연애하느라 바쁜데, 난 연예인이나 보고 있네요. 연예인이랑 오빠동생 하면 뭐 해요? 서로 얼굴 볼 시간도 없는데."

그 순간, 이제는 친숙해진 유태일 감독의 목소리가 대화를 자르고 들어왔다.

"배우들 위치해 주세요. 마지막 장면은 아니지만 마지막 촬영입니다. 두 달간 고생한 만큼 좋은 장면을 뽑아봅시다."

그는 스태프들과 배우들의 사기를 고양시키려는 듯 말했다. 삼 일째 철야로 작업을 하고 있는 스태프들의 얼굴에는 핏기가 사라져 있었다.

학교 측에서 갑작스레 촬영 장비 반납일을 한 주나 단축하는 바람에 쉴 틈 없이 작업을 해야만 했다. 그나마 배우들은 교대로 쉬었지만 스태프들은 꼼짝없이 현장에서 말뚝을 박았다. 오죽하면 촬영이 끝나도 장비를 철수하지 못하고 한둘 씩 남아 교대로 새우잠을 자며 현장 장비를 지켰다. 장비 세팅 시간을 최소화시켜 바로 다음 촬영을 들어가기 위해서였다.

그들의 얼굴을 보던 차지은은 마음이 불편해졌다. 그녀는 이미 다섯 번의 엔지를 반복해서 낸 상태였다.

"엔지 더 내면 큰일 날 분위기네요……."

차지은이 이도원을 향해 속삭였다.

그는 고개를 끄덕였다.

'부담이 크겠어.'

현장 분위기가 이처럼 굳으면 배우들의 연기도 굳어진다. 배우들이 중압감을 느끼는 건 어쩌면 당연했다. 그들이 오케이 사인을 받아야 만 촬영이 종료되는 것이다.

그녀의 마음을 능히 짐작한 이도원이 말했다.

"긴장하지 마. 지금까지 잘했는데, 뭘,"

"오빠는 현장 경험도 없다면서… 어떻게 저보다 멀쩡해요? 완전 무사태평이네요."

차지은이 한숨을 푹 쉬었다. 그녀는 그가 먼 미래에서 왔으며, 자신보다 적어도 몇 배의 현장을 경험한 사람이라는 사실을 추호도 알 수 없었다.

이도원은 씩 웃으며 되물었다.

"걱정한다고 뭐가 달라지나? 우리는 그냥 연기하는 순간만 집중하면 돼."

한편, 조감독이 가져온 소식을 들은 유태일 감독은 눈살을 찌푸리고 있었다. 그는 현장의 누구도 들리지 않을 만큼 목소리를 낮추며 물었다.

"오늘 내로 장비를 모두 반납하라고? 단축된 반납일이 내일모레 아니었나?"

"현수 선배 장난이겠죠, 뭐."

조감독이 확신어린 표정으로 대답했다.

유태일의 라이벌로 소문난 김현수는 현재 영화과 학회장이었다. 그는 교수들을 구워삶는 데 도가 튼 사람이었다. 그리고 이번 일도 학과 내 정치력이 뛰어난 그가 잔꾀를 부린 것이 분명했다.

유태일이 불쾌한 표정으로 물었다.

"프리 프로덕션(Pre—production : 영화 촬영을 위한 모든 준비 단계) 때 이미 섭외, 예산, 장비, 로케이션, 촬영 스케줄까지 모두 보고했잖아. 안 그래도 막바지에 일주일이나 프로덕션 (Production : 영화 촬영 시작부터 끝날 동안의 기간)을 단축한 것도 모자라서 오늘 중으로 장비를 반납하라고? 씬을 빼라는 건가?"

그는 나직한 분노가 서린 목소리로 말했다.

조감독은 고개를 저으며 대답했다.

"저도 자세한 상황이야 모르지만, 아무튼 오늘 내로 반납하랍니다. 우리가 예정보다 빨리 끝내려고 타이트하게 촬영하지 않았더라면 영화 자체를 엎어야 했을지도 모르겠네요. 이 씬, 적당히 마무리 치고 편집으로 살리시죠. 선배님도 아시겠지만, 이러다 이도 저도 안 될 수 있습니다."

그가 타일렀지만, 유태일 감독은 손목시계를 보며 말했다.

"두 시간 남았는데? 네 시간만 늘려봐. 현수를 조지든, 학과장한테 사정을 하든."

"선배님……."

"가능하다고 해줘라. 난 독단적이라서 워낙 미움을 샀지만, 넌 현수나 학과장이랑 친하잖아."

유태일 감독이 부탁했다. 뜨거운 눈길을 받은 조감독은 울컥한 마음에 긴 한숨을 뱉으며 대답했다.

"…알겠습니다. 근데 선배님도 아시다시피, 그 이상은 무리예요."

유태일 감독은 고개를 끄덕이고 모니터를 봤다. 그는 금세 차분해진 목소리로 스태프들에게 지시했다.

"롱 테이크로 바꿔서 갑니다."

그 선언에 카메라감독이 이의를 달았다.

"상태, 상희 모두 감정이 폭발하는 씬입니다. 그리고 대사도 많습니다. 컷해서 짧게 찍었을 때도 엔지가 났고요. 롱 테이크로 가면 오늘 밤새 찍어도 건지기 힘들 겁니다, 선배님."

그를 보조하는 포커스 풀러, 촬영 퍼스트, 세컨드, 써드도 고개를 끄덕였다. 뿐만 아니라 조명감독, 조명 퍼스트, 세컨드, 써드, 그립팀도 창백한 얼굴을 하고 있었다. 그때 붐 오퍼레이터(Boom operator : 마이크 기둥을 다루고 고정 마이크를 설치하고 녹음 필름을 공급하는 사람)를 불러들인 음향감독이 말했다.

"그냥 컷 나누시죠. 편집만 잘하면 더 잘 나올 겁니다. 배우들도, 스태프들도 많이 지쳤습니다. 일주일이나 단축됐지만 아직 반납 일까지 삼 일이나 여유가 있지 않습니까?"

감독과 조감독을 제외하고 현장의 누구도 장비 반납 기간이 또다시 줄어들었다는 사실을 모르고 있었다. 만약 공개된다면 스태프들과 배우들 모두 부담이 가중될 터였다. 따라서 유태일 감독은 그 사실을 숨기며 대답했다.

"이 장면은 롱 테이크로 가야 잘 나옵니다. 모두들 강행군으로 많이 지치고 힘들겠지만, 조금만 더 힘을 내서 제대로 만듭시다. 두 달 동안 고생한 작품인데 후회는 남기지 말아야죠. 우리의 수고가 아깝잖습니까. 안 그래요?"

다들 불만이 완전히 해소되진 않았지만 과에서 톱을 달리는 유태일 감독의 제안이었다. 더구나 선배가 웃는 낯으로 타이르는데 제동을 걸 수는 없었다.

스태프들이 모두 원위치로 돌아갈 때쯤 이도원과 차지은도 준비를 마쳤다. 자리가 잡히고, 현장 분위기를 살피던 유태일 감독이 어렵사리 입을 뗐다.

"카메라 롤."

그는 현장을 무겁게 짓누르는 피로감과 불만을 일거에 떨쳐버리려는 듯 힘 있는 목소리로 외쳤다.

"레디, 액션!"

스크립트가 슬레이트를 쳤다.

"씬 넘버 37—3, 테이크 7."

*   *   *

제작진은 계속 같은 장면을 촬영하고 있었다.

여섯 번의 엔지, 그리고 일곱 번째 연기 시작.

이도원은 병실 안의 침대 옆에서 주르륵 눈물을 흘렸다. 그는 황급히 고개를 돌리며 숨죽여 흐느꼈다.

이도원을 겨냥했던 카메라가 누워 있는 차지은에게로 움직였다. 그녀는 카메라를 의식하지 않고 힘없는 목소리로 말했다.

"이제 안 와도 돼. 어차피 죽을 목숨인데… 어차피 오빠는 또 잘 살겠지. 엄마, 아빠 돌아가신 후에 그랬던 것처럼."

이도원은 고개를 홱 돌리며 그녀를 노려봤다.

"너! 어떻게 그런 말을……."

"내 말이 틀렸어?"

차지은의 호흡이 거칠어졌다.

"내가 살려면 새 심장이 필요하대. 오빠가 어떻게 할 건데? 병원비도 없는데! 수술비는 어디서 구하려고?"

그녀가 소리를 질렀다.

모니터를 주시하던 유태일 감독이 고개를 끄덕였다.

"좋아."

그 순간 차지은이 점점 차오른 호흡을 터뜨렸다.

"그러니까 가! 가라고! 해줄 수 있는 것도 없으면서… 아!"

마지막 대사가 씹혔다.

그녀의 탄성이 마이크에 걸렸다. 그리고 다시 반복된 실수로 인해 눈을 질끈 감는 장면이 카메라에 잡혔다.

고개를 저은 유태일 감독이 외쳤다.

"컷! 엔지."

스태프들 사이에서 아깝다는 목소리가 새어 나왔다.

차지은은 상체를 일으키며 사방에다 고개를 숙였다.

"죄송합니다, 죄송합니다."

그녀는 손발이 차가워지는 걸 느꼈다. 머릿속은 이미 백지장처럼 하얗게 변했고 정신은 혼미해졌다.

스태프들은 침묵하고 있었지만 표정이 좋지 않았다.

안타깝게도 그 뒤로 다섯 번의 엔지가 났다. 테이크 숫자가 오를수록 차지은은 눈 뜨고 볼 수 없을 만큼 애썼지만 절망만 남았다.

이윽고, 유태일 감독이 물었다.

"좀 쉬었다 할까요?"

사실 쉴 시간은 없었다. 스태프의 정신적인 여유도, 반납까지의 시간적인 여유도 부족했다. 하지만 유태일 감독은 그 점을 표면 위로 드러내지 않으려 했다.

그럼에도 차지은은 자신을 짓누르는 중압감에 고개를 저었다.

"아니요! 해볼게요, 감독님."

유태일 감독이 고개를 끄덕였다.

"바로 다시 갑니다. 레디."

이도원과 차지은이 다시 감정을 잡았다. 그리고 그녀가 고개를 끄덕였다.

유태일 감독은 스크립트에게 빠지라는 신호를 주었다. 따라서 스크립트는 슬레이트의 테이크 숫자를 바꿀 뿐 굳이 외치지 않았다. 배우들의 부담을 줄이려고 배려한 유태일 감독이 초심으로 돌아가 첫 테이크인 것처럼 밝게 외쳤다.

"액션!"

그가 사인을 보내자 배우들이 연기를 시작했다.

'괜히 테이크 숫자로 부담을 줄 필요 없다.'

유태일 감독은 한 가지 수를 더 냈다.

'액션을 외칠 때 움츠러든다. 신호도 보낼 필요 없어. 어차피 편집으로 만지면 된다.'

또다시 같은 부분에서 엔지가 났다.

유태일 감독이 말했다.

"바로바로, 준비될 때마다 계속 가세요."

두 배우가 대사를 주고받다가, 다시 엔지가 나던 부분이 돌아왔다.

"그러니까 가! 가라고! 해줄 수 있는 것도 없으면서……."

수차례 열연을 했지만 항상 같은 곳에서 막혔다.

그녀는 매번, 대사를 순간적으로 잊었다.

이를 지켜보던 유태일 감독은 고개를 저었다.

'이대로 촬영을 계속해도 엔지가 반복될 뿐이다. 차지은에게는 부담감을 덜어낼 시간이 필요해.'

그는 곰곰이 생각하며 컷 사인을 보내지 않았다. 좀 더 지켜보려는 목적이었지만 차지은은 쉽게 흐름을 잡지 못했고, 대사를 잇지 못했다.

"해줄 수 있는 것도 없으면서… 뭐라도 해보란 말야… 무슨 짓이라도! 제발, 난… 죽기 싫어."

이미 감정은 딱딱하게 굳어 있었다.

대사 문제가 아니었다. 문제는 바로 그녀가 느끼는 중압감이었다.

"괜찮아요. 조금 쉬겠습니다."

유태일 감독이 휴식을 지시했다.

지칠 대로 지친 스태프들이 현장 이곳저곳 퍼졌다. 잠깐이라도 눈을 붙이기 위해 맨바닥에 드러누웠다. 이틀 꼬박 밤을 새웠으니 그럴 만도 했다. 그들 틈에 섞여 있던 조감독은 유태일 감독을 바라보며 내심 감탄했다.

'역시 유태일 선배다. 가장 조급한 사람은 선배님일 텐데… 전혀 드러내지 않고 있어. 정말 강한 분이지만… 이번에도 촬영에 대한 고집이 통할지 모르겠습니다.'

한편 차지은은 고개를 들지 못하고 병실 밖 복도로 나와 머리카락을 쥐어뜯었다.

"아! 제발!"

그녀는 미칠 지경이었다.

힐끔 차지은을 본 이도원은 화장실을 갔다가 자판기 앞에 섰다. 스태프들 것까지 챙기기에는 지폐가 부족했다. 따라서 그는 차지은 것만 챙겨서 돌아갔다.

이도원은 말없이 에너지음료를 건넸다.

음료수를 건네받은 차지은이 고개를 꾸벅 숙였다.

"감사합니다. 오빠… 죄송해요."

목소리나 말투마저 전에 비해 딱딱해져 있었다.

이도원은 그녀의 실수 덕분에 열 번이나 똑같은 감정연기를 반복해야 했다. 에너지가 고갈되어 그의 연기까지 흔들릴 수 있는 위태로운 상황인 것이다. 하지만 이도원은 덤덤한 표정으로 웃으며 말했다.

"어깨에 들어가 있는 힘 좀 풀어. 네가 할 수 있는 간단한 대사에서 실수를 하는 건 긴장해서 그럴 뿐이야. 지금까지 잘해왔고, 편하게 연기해."

차지은은 현장 경험이 처음이라기에는 너무나 노련하게 적응했던 이도원을 보았다. 그녀는 문득, 그라면 어떤 걱정도 해결해 줄 수 있을 것 같은 느낌을 받았다.

"오빠라면 알고 있을 것 같아요. 오빤 단 한 번도 큰 실수를 하지 않았죠. 이럴 땐 어떻게 극복해야 하는 거죠?"

이도원은 잠시 고민하다 대답했다.

"지금까지 네 대사만을 말했다면, 지금부턴 내 대사를 잘 듣고 대답만 해보자. 상희가 어떤 인물인지 네 머릿속에 각인이 돼 있다면 그것만으로 충분할 거야. 감정도 그대로 가져갈 수 있을 테고."

"애드리브가 과해지면요?"

"지금 대사가 입에 안 붙잖아. 부담감도 있고, 심신이 지친 상태에서 억지로 대사를 생각하고, 네 본모습을 바꿔서 연기하려니까 힘이 들어가는 거야. 네 연기에 상희를 입혀봐."

"그러다 또 엔지가 나면요? 전혀 다른 대사가 나오거나……."

이도원은 그녀의 머리를 헝클어뜨리며 말했다.

"배우는 원래 엔지를 내는 거야. 그 엔지 중에서 감독이 마음에 드는 오케이를 고르는 거고. 많이 찍을수록 더 좋은 장면이 나올 거야. 스태프들도, 나도 신경 쓸 필요 없어. 어차피 언젠가 촬영은 끝나겠지. 네가 후회 없는 연기를 하려면, 쓸데없는 걱정은 버리고 너 자신한테 집중해."

차지은의 표정은 여전히 어두웠다.

이도원은 그녀를 보며 덧붙였다.

"대본에 의지하지 말고 틀리든 말든 그냥 쭉 밀고 나가. 부족한 부분은 내가 커버해 줄 테니까. 여긴 무대가 아닌 촬영장이야. 편집을 통하면 네가 대사를 틀려서 더듬는 것조차 감정연기로 만들 수 있다는 뜻이지."

그녀는 이도원의 말을 들으며 어쩐지 십 년 묵은 체중이 내려가는 기분이었다. 아직 부담감은 여전했지만, 마음을 비우려 애썼다.

"화장실 좀 다녀올게요."

차지은은 화장실 세면대에서 찬물로 세수를 했다. 그녀는 물기가 가득한 얼굴을 거울에 비춰 보았다. 방수 분장으로 인해 창백하고 병약해 보이는 얼굴이 눈에 들어왔다.

차지은은 그 얼굴과는 상반되게, 힘찬 목소리로 말했다.

"정신 차리자. 처음처럼!"

이도원은 먼저 병실에 들어가 있었다.

차지은이 돌아오자 스태프들이 포지션으로 돌아갔다.

유태일 감독이 그녀에게 물었다.

"준비됐나요?"

침대에 누운 차지은이 고개를 끄덕이며 대답했다.

"예! 이번에야말로 잘 해보겠습니다."

이도원이 빙그레 웃었다.

두 사람의 표정을 읽고 고개를 끄덕인 유태일 감독이 말했다.

"카메라 롤."

카메라가 작동했다.

스태프들은 모두 초심으로 돌아가 집중했다.

마이크가 내려오고, 감정을 끌어 올린 이도원. 그는 붉어진 눈으로 고개를 떨구었다.

*   *   *

이도원의 감정은 최고조.

반면 차지은이 스타트를 끊을 차례였지만, 그녀는 머뭇거리고 있었다. 시작 전 마음을 다잡았지만 막상 카메라가 돌아가자 몰입이 깨졌다.

이도원은 차지은의 역할인 '상희'의 대사가 채워야 할 빈 공간을 흐느끼는 호흡으로 대신하며 메꾸었다.

스태프들이 그 호흡에 이끌린 듯 움직였다. 카메라는 이도원의 얼굴을 클로즈업 했으며 마이크는 가까워졌다.

대본과 달리 이도원이 먼저 입을 열었다.

"무슨 말이라도 해봐. 내가 온 게 싫으니?"

유태일 감독은 모니터 안으로 빨려 들어갈 듯 집중하며 내심 생각했다.

'상대 배우의 호흡을 이끌어내고 있다. 독주하던 지금까지와는 달라.'

대본상 엔지였으나, 그는 지금이 이도원이 해왔던 연기의 전환점이라는 걸 깨닫고 촬영을 멈추지 않았다.

한편 이도원의 질문을 받은 차지은은 그 호흡에 동화되어 자연스럽게 상황이 받아들여졌다. 연이어 감정이 살아나며 입술 사이로 대답이 흘러나왔다.

"이제 안 와도 돼."

어렵사리 말문을 연 차지은. 그녀는 눈물을 삼키며 가쁜 호흡을 뱉었다.

순간 소매를 걷고 장비를 잡은 스태프들의 팔에 닭살이 우수

수 돋았다.

"어차피 난 죽겠지. 오빠는 잘 살 거야. 엄마, 아빠가 돌아가 셨을 때도 그랬듯이."

"아니야!"

이도원이 치고 들어가며 절절하게 말을 이었다.

"너, 어떻게 나한테 그런 말을… 정말 그렇게 생각해?"

차지은이 받아쳤다.

"내 말이 틀렸어?"

그녀의 호흡이 점점 거칠게 차올랐다. 그녀는 소리를 질렀던 지금까지와 달리, 이번 테이크에서는 처연하면서도 자조적으로 물었다.

"오빠 잘 때, 원무과에서 온 문자도 봤어. 내가 살려면 새 심 장이 필요하대. 오빠가 뭘 할 수 있는데? 오빠 엄마, 아빠가 돌 아가셨을 때도… 그리고 지금도 아무것도 못 해."

"나도 노력하고 있어."

이도원이 대사를 씹어뱉었다. 저릿한 목소리가 차지은의 가 슴을 짓눌렀다. 그녀는 마음이 아픈 이유를 다른 데서 찾았다. 그리고 반발심 그대로 마음에도 없는 소리를 입 밖으로 꺼냈 다.

"그냥 가! 가라고! 아무것도 해주지 못하면서… 난 살고 싶 어. 내가 왜 죽어야 돼? 엄마, 아빠가 돌아가신 것도 억울한데! 왜 나까지 이런 일을 당해야 돼?"

이도원의 볼을 타고 눈물이 흘렀다. 그는 주먹을 꽉 움켜쥐었다. 끅끅— 울음을 참는 호흡이 새 나왔다.

"알겠어, 알겠으니까 진정해. 너 그러다 큰일 나."

차지은도 이미 엉엉 울고 있었다. 억지로라도 마음을 추스리려 했지만, 숨도 제대로 쉬기 힘들었다. 그녀는 발음에 신경을 쏟으면서도 감정을 고스란히 담았다.

"살려줘. 무슨 짓을 해서라도 살려줘, 오빠……."

차지은이 이불에 얼굴을 묻었다.

오열하는 동생을 본 이도원은 자리를 박차고 병실 문 앞에 섰다. 문고리를 쥐면서 덜덜 떨리는 손을 카메라가 줌으로 잡아냈다.

스태프 전원과 유태일 감독은 머리카락이 하늘로 치솟을 만큼 희열을 느꼈다.

'카메라, 마이크! 따라가!'

유태일 감독은 속으로 외치며 스태프들에게 손짓을 했다. 그것과 무관하게 이미 한마음이 된 스태프들은 이도원의 연기를 따라붙어 촬영하고 있었다.

철컥.

이도원은 아무 말도 하지 못하고 복도로 나갔다. 그는 문 안쪽과 바깥쪽의 경계에 멈춰서, 고개를 돌려 차지은을 바라봤다.

그 모습을 차지은 침대 너머에 있는 카메라가 풀 샷으로 잡았다. 순간 스태프들이 손발을 맞추기 시작했다.

조명감독이 황급히 이도원의 뒤로 돌아가서 전면에 있는 조명을 끄라고 손짓했다. 어두운 그림자가 이도원의 모습을 가렸고, 역광이 생겼다.

쓸쓸해 보이는 병실 침대 너머, 어둠 속에서 이도원의 눈동자만이 아스라이 빛났다.

'이건 대본으로 표현할 수 없는 장면이다.'

유태일 감독은 엔도르핀이 머리끝까지 솟은 상태였다.

스태프들 모두 한마음으로 숨을 죽였다.

이도원은 어떤 대사 보다 무거운 침묵을 던지며 몸을 서서히 돌렸다.

탁.

병실 문이 닫히고, 돌아누운 차지은의 왜소한 어깨가 들썩였다.

카메라감독이 빈 병원 침대 위로 천천히 올라갔다. 동시에 줌으로 당기자 초점도 위에서 아래로 잡혔다.

그녀의 쓸쓸한 모습과 병동의 풍경이 한 화면 안으로 들어왔다.

와이드 샷(WS : 배경을 포함해 광범위하게 잡는 샷)이었다.

"컷, 오케이!"

유태일 감독이 사인을 보냈다.

동시에 모든 스태프가 환호성을 질렀다.

현장은 희열에 잠겼다.

셀 수 없이 반복된 테이크를 거쳐 성공적으로 연기를 보여주면서 촬영을 끝낸 차지은은 눈물을 펑펑 쏟았다.

이도원이 병동 문을 열고 들어오며 환하게 웃었다.

그들을 보며 유태일 감독이 중얼거렸다.

"내가 이 맛에 감독을 하지."

생각보다 촬영이 금방 마무리되었기에 몇 가지 부분적인 씬을 더 찍을 수 있었다. 스태프와 배우 모두 피로가 씻은 듯 사라진 결과였다.

현장 철수도 일사천리로 진행됐다. 나머지 스태프들이 현장을 정리하는 동안, 조감독을 대동한 유태일 감독은 직접 두 배우에게 다가와서 시원스러운 미소를 머금고 말했다.

"정말 잘해주었습니다."

이도원이 웃으며 화답했다.

"많이 배웠습니다. 감독님."

"저도요. 정말 너무… 흑흑, 감사드려요."

차지은은 아직도 감격을 떨치지 못하고 발음을 뭉그러뜨리며 끅끅댔다.

유태일 감독은 두 사람과 악수를 나누었다.

"워크숍 때, 그리고 영화제에서 상영될 때 초대하도록 하겠습니다. 오늘 촬영은 제 짧은 감독 생활 중에도 잊지 못할 촬영이었습니다. 감독으로서 이런 경험을 하게 해줘서 고맙습니다. 다음 작품도 꼭 두 배우님과 함께하고 싶군요."

"불러만 주십시오."

이도원이 씨익 웃으며 대답했고, 차지은은 무어라 말도 못한 채 고개만 반복해 끄덕였다.

정리가 되어가는 현장을 바라본 유태일 감독이 말했다.

"두 분은 귀가하셔도 됩니다. 워크숍이나 영화제에서 만나면 그땐 식사나 따로 한 끼 하죠. 오늘은 저도 현장 정리하고, 또 바로 편집하러 가야 해서 힘들 것 같습니다."

"예. 알겠습니다."

"흑… 네."

조감독도 웃으며 그들을 치하했고, 악수를 나누었다. 나머지 스태프들과도 포옹을 했다.

두 달간의 대장정을 무사히 끝낸 이도원은 가슴이 부풀어 오를 만큼 벅찼다.

'역시, 너무나 멋진 일이야. 그 어느 때보다 행복하다.'

이도원과 차지은은 현장을 나와 병원 앞에서 악수를 나누었다. 복받치는 감정을 어느 정도 추스른 차지은이 이도원을 보고 말했다.

"오빠, 감사해요. 정말……."

"워크숍 때 보자."

이도원은 담백하게 인사했다.

그는 그녀에게 따로 연락처를 묻지 않았다. 촬영 기간 동안 계속 호흡을 맞춘 두 사람은 가까워져 있었지만, 아직 이도원은 일반인이고 차지은은 연예인이었다. 함부로 번호를 알려주기 꺼려질 수 있었다.

망설이던 차지은은 고개를 끄덕였다.

"예, 오빠. 그때 봐요. 그리고 그땐 꼭 연락처 교환해요."

그녀는 그가 오해할까 봐 덧붙였다.

"저도 매니저 오빠한테 허락 맡을게요."

이도원이 피식 웃었다.

"그래. 어차피 자주 볼 텐데 뭘. 마지막 연기는 소름 돋을 만큼 좋았어. 영화도 잘 나올 거고."

차지은은 못내 아쉬운 듯 몸을 돌리지 못했다.

이도원이 나서서 당분간 이별을 고했다.

"그럼."

"예, 안녕히 가세요."

그녀가 고개를 꾸벅 숙이자 이도원이 먼저 몸을 돌렸다.

'오늘의 느낌을 잊지 말자.'

그는 다짐하며 지난 현장에서의 순간들을 생각했다. 당시의 감정과 상황이 생생하고 선명하게 떠올랐다.

이도원은 촬영에 돌입하면서 차지은이 놓친 대사의 빈 공간을 호흡으로 메우고, 애드리브를 이용해 그녀가 할 대사를 끌어냈다.

'내 역할뿐 아니라 상대의 역할과 대사까지 완전히 이해해야한다.'

그는 계속된 엔지로 그녀의 역할과 대사를 인지하게 되었다. 하지만 애초 촬영에 돌입하기 전에는 자신의 역할에만 몰두했다. 자신과 상대의 역할을 모두 이해하고 펼치는 연기는 훨씬 큰 시너지효과를 냈다.

'준비가 부족했었어.'

이도원이 상대방의 호흡을 빼앗으며 독주를 하는 데에는 준비성 부족이라는 뜻밖의 이유가 있었다. 차지은이 본인의 호흡을 잃고 엔지를 낸 이유도, 그의 연기적 결함이 미친 악영향이었다.

'난 지금껏 대본을 읽어왔다.'

이도원은 차지은의 실수를 메워주기 위해 그녀에게 대본을 생각하지 말고 대답하라고 주문했다. 그러면서 자신이 '상태'라고 굳게 믿으며 대본 그대로 하던 연기를 대화하듯 바꾸었다.

이 과정에서 느낀 점은 그동안 대본을 잘 읽었을 뿐, 대본을 말하지 않았다는 점이었다.

'인물이 살아 있으려면 먼저 나 스스로 그 인물이라고 믿어야 한다. 동시에 나 자신을 완전히 잃어버리면 안 돼.'

쉽지 않은 일이었다. 하지만 그 결과 흐름을 주도하면서 상대 배우의 호흡을 이끌어내는 성과를 얻었다. 꼭 자기 것으로 만들어내야 하는 성취인 것이다.

"산 너머 산이군."

그는 입 밖으로 뱉은 고민과는 달리 기분 좋게 웃었다.

이미 이도원의 머릿속은 연기의 새로운 영역에 발을 들여놓은 것에 대한 기대와 설렘으로 가득했다.

『연기의 신』 2권에 계속…

초대형 24시 만화방

신간 100%, 샤워실, 흡연실, 수면실(침대석), 커플석, 세탁기 완비

■ 강북 노원역점 ■

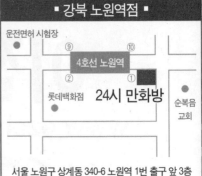

운전면허 시험장
4호선 노원역
롯데백화점 24시 만화방 순복음 교회

서울 노원구 상계동 340-6 노원역 1번 출구 앞 3층
02) 951-8324 (화용빌딩 3층)

■ 일산 정발산역점 ■

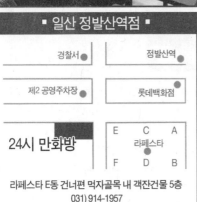

경찰서 정발산역
제2 공영주차장 롯데백화점
24시 만화방
E C A
라페스타
F D B

라페스타 E동 건너편 먹자골목 내 객잔건물 5층
031) 914-1957

■ 일산 화정역점 ■

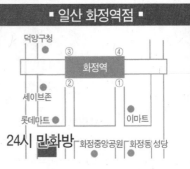

덕양구청
화정역
세이브존
롯데마트 이마트
24시 만화방 화정중앙공원 화정동 성당

경기도 고양시 덕양구 화정동 984번지 서일빌딩 7층
031) 979-4874 (서일사우나 건물 7층)

■ 부천 역곡역점 ■

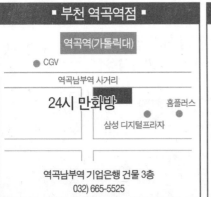

역곡역(가톨릭대)
CGV
역곡남부역 사거리
24시 만화방 홈플러스
삼성 디지털프라자

역곡남부역 기업은행 건물 3층
032) 665-5525

■ 부평역점 ■

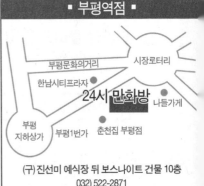

부평문화의거리 시장로터리
한남시티프라자
24시 만화방 나들가게
부평 지하상가 부평1번가 춘천집 부평점

(구) 진선미 예식장 뒤 보스나이트 건물 10층
032) 522-2871

FUSION FANTASTIC STORY

고고33 장편소설

세무사

차현호

대한민국의 돈, 그 중심에 서다!

『세무사 차현호』

우연찮게 기업 비리가 담긴 USB를 얻은 현호는
자동차 폭탄 테러를 당하게 되는데…….

그런 그에게 주어진 특별한 능력과 두 번째 삶.
하려면 확실하게, 후회 없이 살고 싶다!

"대한민국을 한번 흔들어보고 싶습니다."

대한민국의 돈과 권력의 정점에 선
세무사 차현호의 행보에 주목하라!

Book Publishing CHUNGEORAM

유행이 아닌 자유추구 -
WWW.chungeoram.com

이계진입 리로디드

임경배 퓨전 판타지 소설

FUSION FANTASTIC STORY

『권왕전생』임경배의 2015년 신작!

『이계진입 리로디드』

왕의 심장이 불타 사라질 때,
현세의 운명을 초월한 존재가 이 땅에 강림하리라!

폭군으로부터 이세계를 구원한 지구인 소년 성시한.
부와 명예, 아름다운 연인…
해피엔딩으로 이야기는 끝인 줄 알았건만
그 대가는 지구로의 무참한 추방이었다.
그리고 10년 후……,

"내가 돌아왔다! 이 개자식들아!"

한 번 세상을 구한 영웅의 이계 '재' 진입 이야기!

Book Publishing CHUNGEORAM

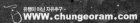

유행이 아닌 자유추구 ·
WWW.chungeoram.com

paráclito

빠라끌리또

FUSION FANTASTIC STORY

가프 장편 소설

막장 비리 검사가
최고의 검사로 거듭나기까지!
그에겐 비밀스러운 친구가 있었다.

『빠라끌리또』

운명의 동반자가 된 '빠라끌리또'가 던진 한마디.

-밍글라바(안녕하세요)!

그 한마디는 막장 비리 검사, 송승우의
모든 것을 통째로 리뉴얼시켜 버렸다.

빠라끌리또=Helper, 협력자, 성령.

十字星 십자성
허담 新무협 판타지 소설
FANTASTIC ORIENTAL HEROES
전왕의 검

신력을 타고났으나 그것은 축복이 아닌 저주였다.

『십자성 - 전왕의 검』

남과 다르기에 계속된 도망자의 삶.
거듭된 도망의 끝은 북방 이민족의 땅이었다.
야만자의 땅에서 적풍은 마침내 검을 드는데……!

"다시는 숨어 살지 않겠다!"

쫓기지 않고 군림하리라!
절대마지 십자성을 거느린
적풍의 압도적인 무림행이 시작된다!

이계진입 리로디드

임경배 퓨전 판타지 소설

FUSION FANTASTIC STORY

『권왕전생』 임경배의 2015년 신작!

『이계진입 리로디드』

왕의 심장이 불타 사라질 때,
현세의 운명을 초월한 존재가 이 땅에 강림하리라!

폭군으로부터 이세계를 구원한 지구인 소년 성시한.
부와 명예, 아름다운 연인…
해피엔딩으로 이야기는 끝인 줄 알았건만
그 대가는 지구로의 무참한 추방이었다.
그리고 10년 후…….

"내가 돌아왔다! 이 개자식들아!"

한 번 세상을 구한 영웅의 이계 '재' 진입 이야기!

Book Publishing CHUNGEORAM

유행이 아닌 자유추구 -
WWW.chungeoram.com